S0-BXM-179

MICROWAVE COOKING FOR TODAY'S LIVING

PRECAUTIONS TO AVOID POSSIBLE EXPOSURE TO EXCESSIVE MICROWAVE ENERGY.

1. Do not attempt to operate this oven with the door open since open-door operation can result in harmful exposure to microwave energy. It is important not to defeat or tamper with the safety interlocks.
2. Do not place any objects between the oven front face and the door or allow soil or cleaner residue to accumulate on sealing surfaces.
3. Do not operate the oven if it is damaged. It is particularly important that the oven door close properly and that there is no damage to the:
   (1) door (bent),
   (2) hinges and latches (broken or loosened),
   (3) door seals and sealing surfaces.
4. The oven should not be adjusted or repaired by anyone except properly qualified service personnel.

METRIC CONVERSION TABLE

IMPERIAL	METRIC	IMPERIAL	METRIC
1 teaspoon	5 mL	1 ounce	25 g
1 tablespoon	15 mL	1 pound	500 g
1/4 cup	50 mL	2 pounds	1 kg
1/3 cup	75 mL	1 quart	1 litre
1/2 cup	125 mL	2 quarts	2 litres
2/3 cup	150 mL		
3/4 cup	175 mL		
1 cup	250 mL		

TABLE OF CONTENTS

Introduction

Recipes

Appendix

INTRODUCTION

1. HOW YOUR MICROWAVE OVEN WORKS

Microwaves are a form of energy similar to radio and television waves. Your microwave oven is constructed in such a way as to take advantage of microwave energy. Electricity is converted into microwave energy by the magnetron tube, and microwaves are then directed into the cooking area through openings at the top of the oven cavity. Microwaves reflect off the metal walls of the oven. They can be transmitted through glass, paper, wicker and microwave-safe cooking dishes. Microwaves do not heat the cookware, though dishes will eventually feel hot from the heat generated by the food. Microwaves are attracted to the moisture in foods and cause the water molecules to vibrate, 2,450 million times per second. This is called absorption. As the water molecules vibrate they rub against each other, producing friction. This friction, in turn, causes the food to get hot. If you have trouble imagining how this is possible, just think how hot your hands would get if you rubbed your palms together 2,450 million times per second!

A very safe appliance: Your microwave oven is one of the safest of all home appliances. When the door is opened, the oven automatically stops producing microwaves. By the time microwave energy has been converted into heat in the process of making food hot, the microwaves have completely dissipated.

2. GETTING THE BEST RESULTS FROM YOUR MICROWAVE OVEN

Keeping an eye on things: The recipes in this book have been developed with great care, but your success in preparing them depends upon how much attention you pay to the food as it cooks. Your microwave oven is equipped with a light that turns on automatically when the oven is in operation. You can see inside the oven and check the progress of your food. Directions given in recipes to "elevate", "stir", "rotate", etc., should be thought of as the minimum steps recommended, for evenness and speed in microwave cooking.

Factors affecting cooking time: The cooking times given in the recipes in this book are approximate. Many factors affect cooking times. The temperature of ingredients used in a recipe, makes a big difference in the cooking time. For example, a cake made with cold butter, milk and eggs will take considerably longer to cook than one made with ingredients that are at room temperature.

On very cold or very hot days, a great deal of electricity is diverted for heating or cooling. Therefore, less electricity is available for your oven, and the food will cook more slowly than usual.

Range of cooking times: All of the recipes in this book give a range of cooking times. In general, you will find that the food remains undercooked at the lower end of the time range.

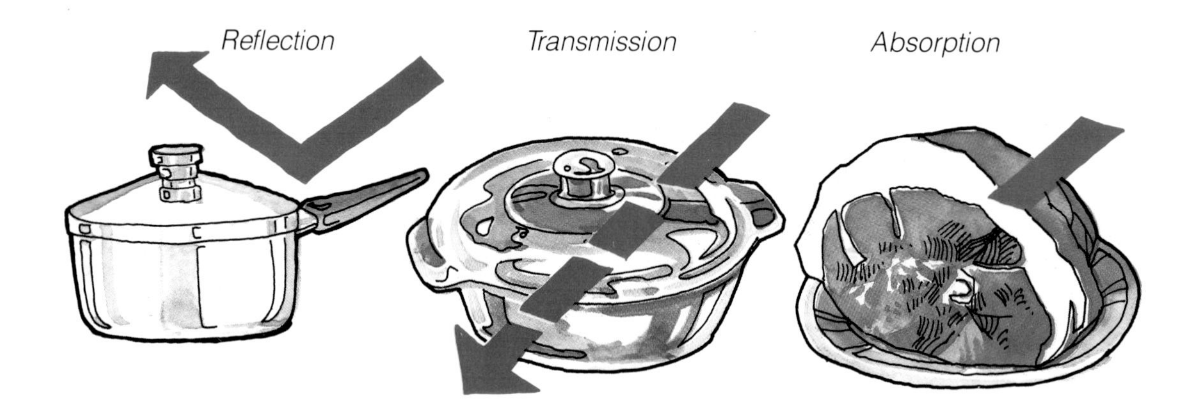

You may sometimes want to cook your food beyond the maximum time given. Personal preferences vary, as do the cooking speeds of different ovens under different conditions. While undercooked food may always be cooked a bit more, overcooked food can be ruined.

Some of the recipes, particularly those for breads, cakes and custards suggest that food be removed from the oven when it is still slightly undercooked. This is not a mistake. When allowed to stand, the food will continue to cook outside of the oven, as the heat trapped within the outer portions of the food gradually travels inward. If the food is left in the oven until it is cooked all the way through, the outer portions will become overcooked. As you gain experience in using your microwave oven, you will become increasingly skillful in estimating both cooking and standing times for various foods.

3. HOW CHARACTERISTICS OF FOOD AFFECT MICROWAVE COOKING

Quantity: The greater the volume of food, the longer it takes to cook it. In general, cooking time is increased by about 50 percent, when doubling a recipe. Time is reduced by approximately 40 percent when cutting a recipe in half.

Density: Light, porous foods such as cakes and breads cook more quickly than heavy, dense food such as roasts, potatoes and casseroles.

Height: Whether conventional or microwave cooking methods are used, areas of food close to the energy source may need to be turned or shielded for even cooking.

Shape and Size: For more even cooking results, choose food pieces that are similar in size and shape. Arrange small, thin pieces toward the center of the dish and thicker pieces toward the outside of the dish.

Sugar, Fat and Moisture: Food with high sugar, fat and moisture content cooks faster than food low in these elements.

4. SPECIAL TECHNIQUES IN MICROWAVE COOKING

Browning: Meat and poultry with high fat content that are cooked 10-15 minutes or longer, will brown lightly. Food that is cooked for a shorter period of time, may be brushed with a browning agent to achieve an appetizing color. The most commonly used browning sauces are Worcestershire sauce, soy sauce, barbecue sauce and bouquet sauce.

Covering: A cover traps heat and steam causing the food to cook more quickly. You may either use a lid or tent with plastic wrap with a corner folded back slightly, for excess steam to escape. Waxed paper effectively prevents food from spattering and helps food to retain some heat. Sandwiches and many other foods can be wrapped in paper towels to prevent them from drying out, or becoming soggy.

Spacing: Individual foods such as baked potatoes, cupcakes, and hors d'oeuvres will heat more evenly if placed in the oven an equal distance apart, preferably in a circular pattern.

Stirring: Stirring is an important microwaving technique. Microwaved foods are stirred in order to blend flavours and redistribute heat. Always stir from the outside toward the inside, since the outside of the food cooks first.

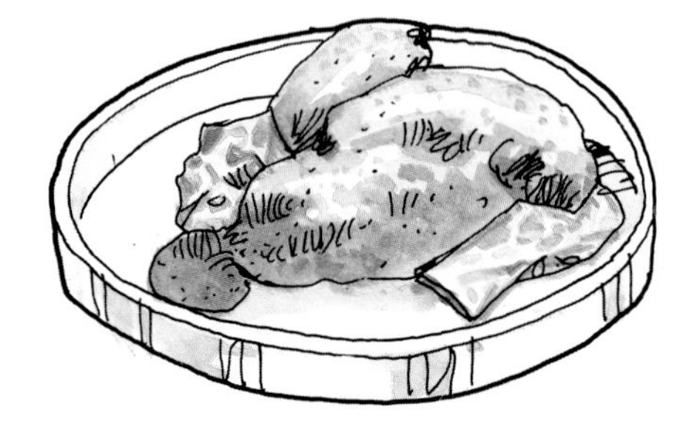

Turning over: Larger sized food such as roasts and whole poultry should be turned, so that the top and bottom will cook evenly. It is also a good idea to turn chicken pieces and chops.

Arrangement: Since microwaves cook from the outside-in, it makes sense to place thicker portions of meat, poultry and fish to the outer edge of the baking dish. This way, thicker portions will receive the most microwave energy and the food will cook evenly.

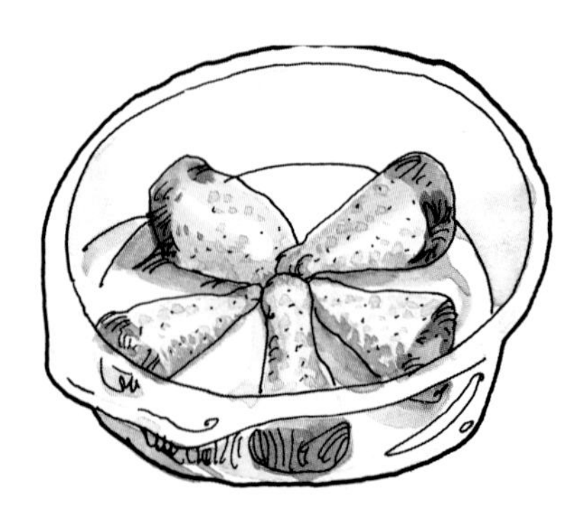

Shielding: Strips of aluminum foil, which reflect microwaves, are sometimes placed over the corners or edges of square and rectangular shaped pans to prevent those portions from over cooking. Keep foil at least one inch (2.5cm) away from the oven walls. There must always be more food than foil when shielding.

Piercing: To prevent bursting, food enclosed in a shell, skin or membrane must be pierced prior to cooking. Such foods include both the yolks and whites of eggs, clams and oysters, and many whole vegetables, such as potatoes and squash.

Testing for doneness: Because food cooks so quickly in a microwave oven, it is necessary to test for doneness frequently. Most foods are removed from the oven while still slightly undercooked, and finish cooking during standing time. The internal temperature of food will rise from 5°F to 15°F during standing time.

Standing time: Food is often allowed to stand for 5 to 20 minutes after being removed from the microwave oven. Usually the food is covered during standing time, to retain heat. Standing time allows food to finish cooking.

5. MICROWAVE-SAFE UTENSILS

Never use metal or metal-trimmed utensils in your microwave oven. Microwaves cannot penetrate metal. They will bounce off metal objects in the oven and cause "arcing", which resembles lightning. Most heat-resistant, non-metallic cooking utensils are safe for use in your microwave oven. However, some may contain materials that render them unsuitable for microwave cooking. If you have any doubts about a particular utensil, there's a simple way to find out if it can be used in your microwave oven.

Testing Utensils for Microwave Use: Place the utensil in question next to a glass measure filled with water, in the microwave oven. Microwave at (Power Level 10) for 1-2 minutes. If the water heats up, but the utensil remains cool, the utensil is microwave-safe. However, if the utensil becomes very warm, microwaves are being absorbed by the utensil and it should not be used in the microwave oven.

You probably have many items on hand in your kitchen right now that can be used as cooking equipment in your microwave oven. Read through the following checklist.

1. Dinner Plates: Many kinds of tableware are microwave safe. If in doubt, consult the manufacturer's literature or perform the microwave dish test.

2. Glassware: Some glassware that is heat-resistant is microwave-safe. This would include most brands of oven-tempered glass cookware. Do not, however, use delicate tumblers, wine glasses, etc. in the oven, as they are likely to shatter.

3. Paper: Paper plates and containers without wax coatings are convenient and safe to use in your microwave oven, for short cooking times. Paper towels are also very useful for absorbing moisture and grease. In general, use white paper products.

4. Plastic Storage Containers: These can be used to hold foods that are to be quickly reheated. However, they should not be used to heat foods that will need considerable time in the oven, as hot foods will eventually warp or melt the container.

5. Cooking Bags: Cooking bags are sometimes microwave safe. However, be sure to make a slit in the bag so that steam can escape. Substitute string for metal twist ties.

6. Plastic Microwave Cookware: A variety of cookware is available. Certain special items such as plastic ring molds, muffin pans, etc. are convenient. Check the manufacturer's instructions.

7. Pottery, Stoneware and Ceramic: Containers made of these materials are usually fine for use in your microwave oven. They should be checked by using the dish test.

8. Wicker, Straw, Wood: All of these materials are safe for brief use in your microwave oven. Remove any metal fittings.

9. Metal Utensils: Metal utensils and utensils with metal straps, clips or screws should not be placed in your microwave oven while the oven is in operation. Use wooden skewers if possible. These are available at most cookware shops. Do not use metal twist ties, lead crystal, or dishes with a metallic paint trim (ie. gold).

Use these utensils

Do not use these utensils

6. SOME MICROWAVING TIPS

Boiling Water: Place 1 cup (250mL) of water in a 2-cup (500mL) glass measure and microwave, uncovered, at (Power Level 10) for 2½ to 3½ minutes.

Instant Coffee: Place 6 oz (170g) of water in a microwave-safe cup or mug. Microwave, uncovered, at (Power Level 10) for 2 to 2½ minutes, or until hot. Stir in coffee crystals.

Hot Cocoa: Place 1 or 2 tsp (5mL or 10mL) each of cocoa powder and sugar in an 8-oz (250g) mug. Gradually add 6 oz (170g) of milk, stirring to blend. Microwave, uncovered, at (Power Level 8) for 2 to 2½ minutes, or until hot, stirring once. Watch carefully so that the milk does not boil over.

Heating Syrup or Honey: Place in a glass pitcher and microwave, uncovered, at (Power Level 10) until warm, stirring once. One cup (250mL) of syrup or honey will take about 3 minutes.

Melting butter or Margarine: Place butter or margarine in a custard cup or glass measure. Microwave, uncovered, at (Power Level 4) until melted.

Softening Butter, Margarine or Cream Cheese: Unwrap and place on a serving plate. Microwave, uncovered, at (Power Level 3) checking at 20 second intervals.

Melting Chocolate Squares and Chocolate Chips: Place in a custard cup or glass bowl and microwave, uncovered, at (Power Level 4). One large square of unsweetened chocolate or 1 cup (250mL) of chocolate chips will take 3 to 4 minutes. Two squares of unsweetened chocolate or 2 cups (500mL) of chocolate chips will take 4½ to 7 minutes. Stir until smooth.

Melting Caramels: Combine 1 14-oz (440g) package of caramels and 2 tbsp (25mL) of water in a 4-cup (1L) glass measure. Microwave, uncovered, at (Power Level 10) for 3½ to 6 minutes, or until melted, stirring every minute.

Toasting Almonds: Place sliced or slivered almonds in a shallow baking dish and add 1 tsp (5mL) of butter or margarine per ½ cup (125mL) of nuts. Microwave, uncovered, at (Power Level 10) for 2 to 5 minutes depending upon the quantity. Stir every 30 seconds.

Toasting Coconut: Place unsweetened, flaked or shredded coconut in a shallow baking dish. Microwave, uncovered, at (Power Level 10) for about 3 minutes per cup (250mL). Stir every 30 seconds.

Freshening-up Stale Chips and Pretzels: Place chips or pretzels in a napkin-lined wicker basket. Microwave, uncovered, at (Power Level 10) for about 1 minute per cup (250mL), or until snacks feel warm. Let stand a few minutes to cool, before serving.

Warming Bread and Rolls: Wrap in a napkin or place in a napkin-lined wicker basket. Microwave at (Power Level 10) just until bread or rolls feel warm.

Cooking Bacon: Place bacon slices on a double thickness of paper towelling and cover with a paper towel. Microwave at (Power Level 10) for about 1 to 1½ minutes per slice or until crisp. If you wish to save the drippings, microwave bacon on a rack rather than on towelling.

7. MICROWAVE POWER LEVELS

Your microwave oven is equipped with ten power levels (11 steps including 0) to give you maximum flexibility and control over cooking. When your cooking program is completed, a beeper automatically sounds. The table below will give you some idea of which foods are prepared at each of the various power levels.

MICROWAVE POWER LEVEL TABLE

Power Level	Output (of watts)	Use
10	100%	• Boil water. • Brown ground beef. • Cook fresh fruits & vegetables. • Make candy. • Cook fish & poultry. • Preheat browning dish.
9	90%	• Heat precooked food. • Sauté onions, celery & green pepper.
8	80%	• Some reheating.
7	70%	• Cook mushrooms. • Cook foods which contain cheese & eggs.
6	60%	• Roast meat. • Bake cakes, muffins. • Prepare eggs.
5	50%	• Simmer. • Cook custard. • Cook meat.
4	40%	• Melt butter & chocolate. • Cook less tender cuts of meat.
3	30%	• All defrosting.
2	20%	• Soften butter & cheese.
1	10%	• Soften ice cream. • Raise yeast dough.
0	0	• Standing time. • Independent timer.

8. TEMPERATURE PROBE COOKING

The temperature probe makes cooking especially easy and convenient. When the food reaches the temperature you select, the oven will shut off automatically, preventing over cooking.

To ensure that you get an accurate reading, insert the probe into the centre of the food. Do not let the probe touch either fat or bone. Avoid using the probe with frozen foods.

The temperature probe is especially constructed for use in your microwave oven. Do not use a conventional meat thermometer in the oven.

To clean the probe, rinse it with warm water and a mild detergent. Do not immerse in water.

TEMPERATURE PROBE COOKING TABLE

Food	Power Level	Temperature Setting
Baked goods	7	130°F
Beverages	10	170°F
Casseroles	5: 10	160°F
Convenience foods	9	170°F-180°F
Fish & Shellfish	10	140°F-160°F
Meats: Beef & lamb	10:7	rare: 120°F-130°F* medium: 140°F* well done: 150°F-160°F*
Meats: Pork	10:7	180°F*
Poultry	10:7	185°F*
Sandwiches	9	140°F
Sauces	10	200°F
Soups: Broth	10	170°F
Soups: Chunky	8	170°F

The temperature of meats and poultry will rise 5°F to 15°F during STANDING TIME, and cooking will be completed.

9. WHOLE MEAL COOKING

Just as in conventional cooking, you can prepare a two or three dish meal in your microwave oven at the same time. In order to achieve a successful whole meal, it is very important to consider the kinds of food selected, the shape and size of microwave-safe containers, the positioning of the dishes in the oven, and the sequence and time of cooking.

Plan to follow a few basic tips before approaching a whole meal:

- Place the quick cooking food and delicate products on the bottom tray and longer cooking food on the metal rack
- remove the metal rack from the oven when it is not being used
- check the sizes of your cooking dishes to be sure they will fit into the oven together
- when foods require the same cooking time, interchange the location of the dishes halfway through the cooking period
- if covers with knobs are too high to fit easily when the metal rack is used, use plastic wrap or waxed paper instead of lids
- most recipes in whole meal cooking need stirring, rearranging and turning halfway through the cooking time.

GUIDELINES FOR TIMING AND PLANNING WHOLE MEAL COOKING

- If foods take less than 15 minutes individually, add the cooking times together and program the menu for the total cooking time.
- If foods take 15 to 35 minutes individually, add the cooking times together and subtract about 5 minutes.
- If any particular food takes over 35 minutes, all the food can be cooked in the time suggested for food taking the longest time.
- Use Power Level 10 (100% or HIGH) when whole meal cooking.
- Add delicate foods, such as bread rolls, when other foods are nearly finished cooking.

10. AUTOMATIC DEFROST

To help you become thoroughly familiar with the convenient Auto Defrost method and its use, we have provided step-by-step instructions for you. You will soon see how microwave defrosting can transform defrosting from a time-consuming nuisance to a simple preparation step.

AUTOMATIC DEFROST GUIDE — MEAT

Food	Setting	At Beep	Special Instructions
BEEF			Meat of irregular shape and large, fatty cuts of meat should have the narrow or fatty areas shielded with foil at the beginning of a defrost sequence.
Ground beef (bulk)	MEAT	Remove thawed portions with fork. Turn over. Return remainder to oven.	Do not defrost less than ¼ lb. (125g) Freeze in a doughnut shape.
Ground beef (patties)	MEAT	Separate and rearrange.	Do not defrost less than two 4-oz. (125g) patties. Depress center when freezing.
Round steak	MEAT	Turn over. Cover warm areas with aluminum foil.	Place on microwavable roast rack.
Tenderloin steak	MEAT	Turn over. Cover warm areas with aluminum foil.	Place on microwavable roast rack.
Stew beef	MEAT	Remove thawed portions with fork. Separate remainder. Return remainder to oven.	Place in microwavable baking dish.
Pot roast	MEAT	Turn over. Cover warm areas with aluminum foil.	Place on microwavable roast rack.
Chuck roast	MEAT	Turn over. Cover warm areas with aluminum foil.	Place on microwavable roast rack.
Rib roast	MEAT	Turn over. Cover warm areas with aluminum foil.	Place on microwavable roast rack.
Rolled rump roast	MEAT	Turn over. Cover warm areas with aluminum foil.	Place on microwavable roast rack.
LAMB			
Cubes for stew	MEAT	Remove thawed portions with fork. Separate remainder. Return remainder to oven.	Place in microwavable baking dish.
Rolled roast	MEAT	Turn over. Cover warm areas with aluminum foil.	Place in microwavable baking dish.
Chops [1-inch (2.5cm) thick]	MEAT	Separate and rearrange.	Place on microwavable roast rack.
PORK			
Bacon	MEAT	Separate and rearrange.	Place on microwavable roast rack.
Chops [½-inch (1.25cm) thick]	MEAT	Separate and rearrange.	Place on microwavable roast rack.
Hot dogs	MEAT	Separate and rearrange.	Place on microwavable roast rack.
Spareribs, country-style ribs	MEAT	Turn over. Cover warm areas with aluminum foil.	Place on microwavable roast rack.
Sausage, links	MEAT	Separate and rearrange.	Place on microwavable roast rack.
Sausage, bulk	MEAT	Remove thawed portions with fork. Turn over. Return remainder to oven.	Place in microwavable baking dish.
Loin roast, boneless	MEAT	Turn over. Cover warm areas with aluminum foil.	Place on microwavable roast rack.
VEAL			
Cutlets [1 lb. (500g), ½-inch (1.25cm) thick]	MEAT	Separate and rearrange.	Place on microwavable roast rack.

AUTOMATIC DEFROST GUIDE — POULTRY

Food	Setting	At Beep	Special Instructions
CHICKEN			No poultry over 5.9 lbs. (2.95kg) can be defrosted using AUTO DEFROST.
Whole [under 4 lbs. (2kg)]	POULTRY	Turn over (end defrost breast-side down). Cover warm areas with aluminum foil.	Place chicken breast-side-up on microwavable roast rack. Finish defrosting by immersing in cold water. Remove giblets when chicken is partially defrosted.
Pieces	POULTRY	Separate pieces and rearrange. Turn over. Cover warm areas with aluminum foil.	Place on microwavable roast rack. Finish defrosting by immersing in cold water.
Breasts (boneless)	POULTRY	Separate and turn over. Cover with waxed paper.	Place on a microwavable roast rack. Finish defrosting by immersing in cold water.
CORNISH HENS Whole	POULTRY	Turn over. Cover warm areas with aluminum foil.	Place on microwavable roast rack. Finish defrosting by immersing in cold water.
TURKEY Breast [under 6 lbs. (3kg)]	POULTRY	Turn over. Cover warm areas with aluminum foil.	Place on microwavable roast rack. Finish defrosting by immersing in cold water.

AUTOMATIC DEFROST GUIDE — FISH AND SHELLFISH

Food	Setting	At Beep	Special Instructions
FISH			
Fillets	FISH	Turn over. Separate fillets when partially thawed.	Place in microwavable baking dish. Carefully separate fillets under cold water.
Steaks	FISH	Separate and rearrange.	Place in microwavable baking dish. Run cold water over steaks to finish defrosting.
Whole	FISH	Turn over.	Place in microwavable baking dish. Cover head and tail with foil; do not let foil touch sides of oven.
SHELLFISH			
Crabmeat	FISH	Break apart. Turn over.	Place in microwavable baking dish.
Lobster tails	FISH	Turn over and rearrange.	Place in microwavable baking dish.
Shrimp	FISH	Break apart and rearrange.	Place in microwavable baking dish.
Scallops	FISH	Break apart and rearrange.	Place in microwavable baking dish.

Recipe Conversion

It's more likely you have some favorite recipes you have been cooking by a conventional method that you would like to be able to cook in your microwave oven. Converting recipes from conventional to microwave cooking is not difficult. Although there are no hard-and-fast rules to follow, some adjustments are advisable and, of course, cooking time must be shortened. Here are some guidelines you can use.

- If there is a similar recipe in this book, use our recipe as a guide.
- Fat is often used in conventional cooking to keep food from sticking to the cooking utensil. This is not necessary in microwave cooking. Therefore, in most cases, when fat is called for in a recipe, it can be reduced by half or even eliminated.
- Liquid usually can be reduced by about one-fourth for microwave cooking. If your recipe calls for (1 cup/250 mL) of liquid, use (¾ cup/175 mL) instead.
- Cook for one-fourth of the time called for in a conventional recipe. It may take somewhat longer, but it's always better to undercook food, check it, and cook it longer if necessary. In other words, if a conventional recipe requires 20 minutes cooking time, microcook 5 minutes and check.

Determining the Weight of Meat and Poultry for Auto Defrost

Auto Defrost requires you to program the oven according to the weight of food you are going to defrost. When we think about the weight of food, we usually think in terms of pounds and of ounces that are divisions of a pound – 4 ounces equal (¼ pound/125 g), 8 ounces equal (½ pound/250 g), etc. This is the way weight is indicated when you shop at a butcher store instead of supermarket packages of meat and poultry which show fractions of a pound in tenths of a pound rather than in ounces – 1.25 lb. equals 1 pound 4 ounces or (1¼ pound/625 g), and 1.50 lb equals 1 pound 8 ounces or (1½ pound/750 g). When you program the weight of food into your oven, it must be programmed in pounds and tenths of a pound. If you want to defrost or cook meat or poultry bought in a supermarket, the weight that should be programmed into the oven is the weight that is already marked on the package. Use the chart that follows to make your calculations.

Number After Decimal	Equivalent Ounce Weight	Metric
.10	1.6	50 g
.20	3.2	100 g
.25 One-Quarter Pound	4.0	125 g
.30	4.8	150 g
.40	6.4	200 g
.50 One-Half Pound	8.0	250 g
.60	9.6	300 g
.70	11.2	350 g
.75 Three-Quarters Pound	12.0	375 g
.80	12.8	400 g
.90	14.4	450 g
1.00 One Pound	16.0	500 g

APPETIZERS

Curried Chicken Balls

APPETIZERS

When friends drop by unexpectedly, or you're having a big party, you'll be able to serve great appetizers in a flash. Just keep a few stock ingredients in your pantry and freezer. With the help of your microwave oven, you're all set.

Microwaving Appetizers: Tips & Techniques

- Many appetizers can be prepared ahead of time, like meatballs and dips. They will reheat in just a minute or two.
- Appetizers with heat-sensitive ingredients like sour cream, eggs and mayonnaise, are heated more gently on lower power levels, to prevent separating and curdling.
- You can make up canapé toppings ahead of time. Toast works well as a base for canapés.
- When heating individual appetizers, arrange in a circle for even heating. Stir dips occasionally to distribute heat evenly.
- Cover foods according to the amount of moisture you wish to retain. Coverings keep spattering down, but lids and plastic wrap trap moisture.
- What you can't do:
  Don't deep fat fry appetizers.
  Puff pastry does not microwave well.
  Breaded products can be microwaved, but they do not come out crispy unless a microwave browning tray or grill is used.

Nachos

- 30 tortilla chips
- 1 3⅓-oz (100g) can jalapeno bean dip
- 1⅓ cups (325mL) grated cheddar cheese

1. Spread bean dip on each tortilla chip. Top with cheese. Place 12 chips in a circle on a paper plate.
2. Microwave at (Power Level 7) for 1 minute, or until cheese begins to melt.

Makes 30 pieces.

Stuffed Mushrooms

- ½ lb (250g) medium-size mushrooms
- ¼ cup (50mL) butter or margarine
- ½ cup (125mL) finely chopped green onions
- 3 tbsp (50mL) bread crumbs
- 1 tbsp (15mL) dried parsley flakes

1. Clean mushrooms and separate caps from stems. Arrange caps hollow-side-up in single layer in a 10-inch (25cm) round baking dish. Set aside.
2. Chop mushroom stems finely. Combine with butter and green onion in a 1-quart (1L) glass casserole. Microwave, uncovered, at (Power Level 10) for 3½ to 4½ minutes, or until onion is tender, stirring twice. Add bread crumbs and parsley flakes. Set aside.
3. Cover mushroom caps and microwave at (Power Level 10) for 2½ to 4 minutes, or until nearly cooked. Stuff each cap with some of the bread crumb mixture. Cover and microwave at (Power Level 10) for 2½ minutes, or until hot.

Makes 25 to 30 pieces.

Curried Chicken Balls

- 1½ cups (375mL) finely minced cooked chicken
- ¼ cup (50mL) mayonnaise
- 3 tbsp (50mL) finely chopped raisins
- 2 tbsp (25mL) dried onion flakes
- 2 tbsp (25mL) dried bread crumbs
- 1 tsp (5mL) lemon juice
- ½ tsp (2mL) curry powder
- 1 egg, lightly beaten
- 1 cup (250mL) dried bread crumbs

1. Mix together all ingredients, except egg and the one cup (250mL) of bread crumbs. Shape into 24 balls.
2. Dip balls in beaten egg and then roll in crumbs. Arrange 12 pieces in a circle on paper plate and microwave, uncovered, at (Power Level 10) for 3 to 4 minutes, or until heated through. Repeat with remaining 12 pieces. Serve with curry-flavoured mayonnaise.

Makes 24 pieces.

Sweet and Sour Tuna Crackers

- ½ 7-oz (200g) can tuna, well drained
- ¼ cup (50mL) cream cheese, softened
- 3 tbsp (50mL) crushed pineapple, well drained
- 1 tbsp (5mL) white vinegar
- ¼ tsp (1mL) curry powder
- 24 crackers or melba toast rounds

1. Flake tuna and combine with all remaining ingredients, except crackers, in a 1-quart (1L) mixing bowl. Blend thoroughly.
2. Spread mixture on 24 crackers or melba toast rounds. Arrange 12 pieces in a circle on a paper plate. Microwave, uncovered, at (Power Level 10) for 2 to 4 minutes, or until topping is bubbling. Repeat with remaining crackers.

Makes 24 pieces.

SAUCES & DESSERT TOPPINGS

Spaghetti Sauce

SAUCES & DESSERT TOPPINGS

Once you begin microwaving sauces and gravies, you'll never go back to cooking them on top of the range.

Just measure, mix and microwave the ingredients in a glass measuring cup or microwave safe serving utensil.

Microwaving Sauces: Tips & Techniques

- Use a deep bowl or a measuring cup that is at least two or three times the volume of the sauce.
- Do you have a wooden spoon? Leave it right in the dish in the microwave oven for the two or three stirrings needed.
  The wood doesn't get hot and the spoon will always be handy.
- Sauces made with cornstarch thicken more rapidly than those thickened with flour.
- To adapt a conventional sauce or gravy recipe, reduce the amount of liquid slightly.
- Use the microwave oven to warm ready-made toppings and sauces right in their own jars. Be sure to remove the metal lids and stir once or twice to distribute the heat.

Chocolate Sauce

1 cup (250mL) sugar
4 tbsp (65mL) cocoa
1 tbsp (15mL) flour
⅓ tsp (1.5mL) salt
¾ cup (175mL) milk
2 tbsp (25mL) butter
2 tbsp (25mL) light corn syrup
½ tsp (2mL) vanilla extract

1. Combine dry ingredients in a 4-cup (1L) glass measure. Stir in milk. Add butter and syrup.
2. Microwave, uncovered, at (Power Level 10) for 7 to 9 minutes, until thickened and smooth, stirring twice. Stir in vanilla extract.

Makes 1½ cups (375mL).

Spaghetti Sauce

½ cup (125mL) finely chopped onion
2 tbsp (25mL) olive oil
1 16-oz (500g) can tomato sauce
2 to 3 cloves garlic, pressed or finely chopped
1½ tsp (7mL) dried basil or oregano
½ tsp (2mL) salt
¼ tsp (1mL) pepper

1. Combine onion and oil in a 1-quart (1L) glass bowl. Microwave, uncovered, at (Power Level 10) for 3½ to 4½ minutes, or until onion is tender.
2. Add remaining ingredients. Cover. Microwave at (Power Level 10) for 3 minutes, and then (Power Level 7) for 11 to 12 minutes. Stir 3 times.
3. Allow 2-5 minutes STANDING TIME.

Makes about 2 cups (500mL).

White Sauce

- ¼ cup (50mL) butter or margarine
- ¼ cup (50mL) flour
- ½ tsp (2mL) salt
- ¼ tsp (1mL) white pepper (optional)
- 2 cups (500mL) milk

1. Place butter or margarine in a 4-cup (1L) glass bowl. Microwave, uncovered, at (Power Level 10) for 1½ to 2½ minutes, or until melted. Stir in flour, salt and pepper, making a smooth paste. Gradually add milk, blending well.
2. Microwave, uncovered, at (Power Level 7) for 6 to 8 minutes, or until sauce is thickened and bubbly, stirring occasionally.

Makes 2 cups (500mL).

Variations

Cheese sauce: Stir 1 to 1¼ cups (250mL to 300mL) grated cheese (Cheddar, Swiss, Parmesan, or combination of cheeses) into finished sauce. If necessary, microwave at (Power Level 6) for 1 minute to melt cheese.
Curry sauce: Stir 2 to 4 tsp (10mL to 20mL) curry powder in with flour.
Mustard sauce: Add 3 to 6 tbsp (65mL to 100mL) prepared mustard to finished sauce. Season with a dash of Worcestershire sauce.

Cherry Sauce with Brandy

- ½ cup (125mL) sugar
- 1½ tbsp (20mL) cornstarch
- ¼ cup (50mL) brandy
- 1 tbsp (15mL) lemon juice (optional)
- 1 16 oz (500g) can pitted cherries in heavy syrup

1. Combine sugar and cornstarch in a 1-quart (1L) glass bowl. Gradually add brandy, stirring to make a smooth paste. Add lemon juice and cherries. Stir to blend well.
2. Cover bowl and microwave at (Power Level 10) for 9 to 12 minutes, or until sauce is hot and thickened, stirring twice. Serve warm over ice cream or cake.

Makes about 2½ cups (625mL).

SOUPS

Bouillabaisse

SOUPS

Soups microwave quickly right in an individual bowl or big soup tureen. They require very little attention and taste like they've been simmered all day. Plus, clean-up is a breeze.

Microwaving Soups: Tips & Techniques

- Microwave soups in a container with twice the volume of the ingredients, to prevent boil-over.
- Generally, microwaved soups are covered with either a casserole lid, waxed paper or plastic wrap.
- Soups will tend to bubble around the edges before they are done. Stirring occasionally will help distribute the heat evenly.
- When converting a conventional soup recipe to the microwave oven, reduce salt and strong seasonings.

Bouillabaisse

- 2 small lobster tails
- 2 lbs (1kg) fish fillets
- 12 to 16 medium clams in shells
- 1½ cups (375mL) chopped onion
- 2 cloves garlic, pressed or finely chopped
- ¼ cup (50mL) oil, preferably olive oil
- 1 16-oz (500g) can tomatoes, with juice
- 1 cup (250mL) water
- ¼ cup (50mL) chopped parsley
- 2 tsp (10mL) dried basil
- 1 bay leaf
- 1 tsp (5mL) salt
- ¼ tsp (1mL) pepper

1. Thaw fish if frozen. Split lobster tails in half lengthwise, then cut each length into quarters. Cut fish fillets into 1-inch (2.5cm) chunks. Wash clams thoroughly. Set all fish aside.
2. Combine onion, garlic, and oil in a 3-quart (3L) glass casserole. Microwave, uncovered, at (Power Level 10) for 4 to 5 minutes, stirring once. Add remaining ingredients, except for fish, stirring to break apart. Cover. Microwave at (Power Level 10) for 10 minutes, stirring twice.
3. Add fish. Cover. Microwave at (Power Level 10) for 7 to 8 minutes, or until lobster and fish are cooked and clams open, stirring gently 3 times.
4. Allow 5 minutes STANDING TIME before serving.

Makes 6 servings.

Consommé Madrilène

- 2 10¾-oz (330g) cans condensed consommé
- ⅔ cup (150mL) tomato juice
- ⅔ cup (150mL) water
- ⅓ cup (75mL) dry sherry
- 1 tsp (5mL) lemon juice (optional)

1. Combine all ingredients in a 2-quart (2L) glass bowl. Stir to blend.
2. Microwave at (Power Level 7) for 9 to 12 minutes, or until hot, stirring twice. Serve, if desired, with sour cream and chopped parsley on top.

Makes 4 to 6 servings.

Vegetable Soup

- 2 cups (500mL) chicken broth
- 1 small onion, sliced
- 1 carrot, thinly sliced
- 1 medium potato, cut into ½-inch (1.25cm) cubes
- 2 stalks celery, thinly sliced
- 1 tbsp (15mL) finely chopped parsley
- ½ tsp (2mL) dried basil
- ¼ tsp (1mL) salt
- 1 small tomato, peeled, seeded, and chopped
- ½ cup (125mL) frozen cut green beans, thawed
- ½ cup (125mL) frozen peas, thawed
- ½ cup (125mL) frozen cauliflower, thawed, and chopped
- 1 cup (250mL) torn lettuce or spinach leaves

1. Combine broth, onion, carrot, potato, celery, parsley, basil and salt in a 3-quart (3L) glass casserole. Cover. Microwave at (Power Level 10) for 15 minutes.
2. Add remaining ingredients. Cover. Microwave at (Power Level 10) for 10 to 15 minutes, or until all vegetables are tender.

Makes 3 to 4 servings.

Onion Soup

- 3 cups (750mL) thinly sliced onions
- ¼ cup (50mL) butter or margarine
- 3 10¾-oz (330g) cans beef broth
- slices of toasted French bread
- 1½ cups (375mL) grated Swiss cheese
- ¼ cup (50mL) grated Parmesan cheese

1. Combine onions and butter in a 3-quart (3L) glass casserole. Microwave, uncovered, at (Power Level 10) for 6½ to 8½ minutes, or until onions are very soft, stirring twice.
2. Add beef broth and cover. Set microwave oven at (Power Level 10) for 4 minutes, and then (Power Level 7) for 12 minutes. Stir once after 3 minutes.
3. Ladle soup into 4 individual bowls. Cover with bread slices and sprinkle with the two cheeses. Microwave at (Power Level 9) for 7½ to 12 minutes, or until cheese melts and bubbles.

Makes 4 servings.

MEAT

Stuffed Flank Steak

MEAT

Now with the help of your microwave, you can serve impromptu meals. Best of all, you don't have to remember to take the meat out of the freezer in the morning for an evening meal. Defrosting techniques and fast microwaving eliminate all these meal-planning roadblocks.

All meats cook in ⅓ to ½ the time it takes conventionally. They stay juicy because they're not exposed to hot dry air. For the same reason, the outside usually does not become as dry and crisp as when conventionally roasted.

Defrosting Meat: Tips & Techniques

- Place meat in a shallow baking dish to catch juices. Remove any metal rings, twist ties, wire, foil and wrapping.
- Defrost meat only as long as necessary. Separate items like chops, hot dogs, and bacon as soon as possible. Turn food over once or twice. Remove thawed portions and continue to defrost remaining pieces.
- Whole pieces of meat are ready for STANDING TIME as soon as a fork can be pushed into the center of the meat using moderate pressure. The center will still be icy. Allow to STAND until completely thawed.
- Cook defrosted meat immediately after defrosting has been completed.

MEAT DEFROSTING TABLE

Meat	Quantity	Power Level	Defrosting Time	Standing Time
BEEF				
frankfurter	1 lb. (500g)		5-6 minutes	2 minutes
ground beef	1 lb. (500g)		4-5 minutes	5 minutes
kidney	2 lbs. (1kg)		8-12 minutes	10 minutes
liver	1 lb. (500g)		6-7 minutes	10 minutes
roast, blade	3 lbs. (1.5kg)		18-20 minutes	15 minutes
roast, chuck	3-4 lbs. (1.5-2kg)		22-26 minutes	15 minutes
roast, rib (rolled)	3-4 lbs. (1.5-2kg)	3	15-20 minutes	15 minutes
roast, rump (boneless)	3-4 lbs. (1.5-2kg)		20-25 minutes	15 minutes
roast, sirloin tip	4-5 lbs. (2-2.5kg)		28-33 minutes	20 minutes
steak, cubed	1 lb. (500g)		7-8 minutes	10 minutes
steak, flank	1½ lbs. (750g)		9-10 minutes	10 minutes
steak, rib eye	2-3 lbs. (1-1.5kg)		10-14 minutes	10 minutes
steak, round	2 lbs. (1kg)		10-14 minutes	10 minutes
steak, sirloin	2 lbs. (1kg)		10-12 minutes	10 minutes
VEAL				
chop	1 lb. (500g)		9-10 minutes	10 minutes
ground veal	1 lb. (500g)	3	4-5 minutes	10 minutes
steak	1 lb. (500g)		6-8 minutes	10 minutes
PORK				
chop [½″ (1.25cm) thick]	1½ lbs. (750g)		10-15 minutes	10 minutes
cubes	1½ lbs. (750g)		8-10 minutes	10 minutes
ground pork	1 lb. (500g)		5-6 minutes	10 minutes
roast, loin (boneless)	4-5 lbs. (2-2.5kg)	3	28-34 minutes	30 minutes
spareribs	3 lbs. (1.5kg)		12-17 minutes	20 minutes
steak, shoulder	2½ lbs. (1.25kg)		12-15 minutes	10 minutes
tenderloin	1 lb. (500g)		10-12 minutes	10 minutes
LAMB				
roast, leg or shoulder	4-5 lbs. (2-2.5kg)	3	28-33 minutes	15 minutes

Cooking Meat: Tips & Techniques

- Be sure meat is completely defrosted before cooking. Trim off excess fat.
- Place meat, fat side down, on a microwave roasting rack.
- Arrange meat so thicker portions are placed towards the outside of the baking dish.
- Drain juices as they accumulate in the dish. Save for making gravy.
- Shield thin or bony portions with strips of aluminum foil molded to the meat to prevent over-cooking. Be sure to keep foil at least 1 inch (2.5cm) from oven walls.
- Cover meat lightly with waxed paper to stop spattering.
- Let meat STAND, covered with foil 10 to 20 minutes, after removing from the oven. During STANDING TIME the internal temperature of the meat will rise approximately 5°F—15°F. STANDING TIME is an important part of the total time required to complete cooking.

MEAT COOKING TABLE

Meat	Quantity	Power Level	Cooking Time	Standing Time
BEEF				
meatloaf	1 1/2 lbs. (750g)	7	10-15 minutes	5 minutes
rib roast (rolled)	3-4 lbs. (1.5-2kg)	5	9-11 minutes (rare) per pound	15 minutes
			11-13 minutes (med) per pound	15 minutes
			13-15 minutes (well) per pound	15 minutes
roast, rump or chuck	3-4 lbs. (1.5-2kg)	3	16-20 minutes per pound	15 minutes
VEAL				
rump roast (bone-in)	3-4 lbs. (1.5-2kg)	5	9-12 minutes per pound	15 minutes
PORK				
ham (fully cooked)	5 lbs. (2.5kg)	10→7	35→60 minutes	15 minutes
loin roast (boneless)	5-6 lbs. (2.5-3kg)	7	45-58 minutes	15 minutes
shank	7-8 lbs. (3.5-4kg)	7	58-70 minutes	15 minutes
LAMB				
leg or shoulder roast	4-5 lbs. (2-2.5kg)	7	17 1/2-29 minutes (med)	15 minutes
			29-41 minutes (well)	15 minutes
VENISON				
rump roast (bone-in)	2-3 lbs. (1-1.5kg)	10→4	14→40-50 minutes	10 minutes

CONVENIENCE MEAT COOKING TABLE

Convenience Meat	Quantity	Power Level	Cooking Time	Standing Time
bacon slices	2 3 4 8	10	1 1/2-2 1/2 minutes 2-3 minutes 3-4 minutes 6-7 minutes	1 minute 1 minute 1 minute 1 minute
Canadian bacon slices	2 4 8	10	1 1/2-2 minutes 2 1/2-4 minutes 4-5 minutes	1 minute 1 minute 1 minute
frankfurters	2 4	10	2-3 minutes 3-5 minutes	2 minutes 2 minutes
ham slices, 2 oz. (60g) each	2 4	10	2-2 1/2 minutes 3-4 minutes	1 minute 1 minute
hamburgers, fresh 4 oz. (125g) each	1 2 4	10	1-2 minutes 2-3 minutes 3-6 minutes	2 minutes 2 minutes 3 minutes
sausage links, fresh, 1-2 oz. (60g) each	2 4 8	10	2-3 1/2 minutes 4-7 minutes 6-10 minutes	2 minutes 2 minutes 2 minutes
sausage patties, fresh, 1-2 oz. (60g) each	2 4	10	2-3 minutes 4-7 minutes	2 minutes 2 minutes

Stuffed Flank Steak

- 1 cup (250mL) finely chopped onion
- 1 clove garlic, pressed or finely chopped
- ¼ cup (50mL) butter or margarine
- 1 10-oz (300g) package frozen chopped spinach, thawed and well drained
- ⅓ tsp (1.5mL) ground thyme
- ¼ tsp (1mL) salt
- ¼ tsp (1mL) pepper
- 1 beef flank steak, about 1½ lbs (750g)
- 1 cup (250mL) strong beef broth
- 1 10¾-oz (330g) can condensed cream of mushroom soup
- ¼ cup (50mL) white wine (optional)

1. Combine onion, garlic, and butter in a 1½-quart (1.5L) glass bowl. Microwave, uncovered, at (Power Level 10) for 6 to 7 minutes, or until onion is soft, stirring once. Stir in spinach, thyme, salt, and pepper. Cover. Microwave at (Power Level 10) for 3 minutes, stirring once.
2. Pound flank steak with mallet to flatten. Spread spinach mixture on steak and roll up like a jelly roll. Tie with string or wooden skewers. Place in a 2-quart (2L) glass casserole.
3. Combine remaining ingredients and pour over steak. Cover. Set microwave oven at (Power Level 10) for 8 minutes. Turn steak over, cover and cook (Power Level 4) for 45 to 50 minutes per pound or until tender. Let STAND, covered, for 10 minutes before serving.

Makes 4 servings.

Curried Pork Chops

- 1 10¾-oz (330g) can cream of mushroom soup
- 1 medium apple, peeled, cored, and finely chopped
- ½ cup (125mL) finely chopped onion
- ½ cup (125mL) raisins
- ¼ cup (50mL) whipping cream
- 2 to 3 tsp (10mL to 15mL) curry powder
- ¼ tsp (1mL) ground thyme
- ¼ tsp (1mL) salt
- ¼ tsp (1mL) pepper
- 4 pork chops, ½ inch (1.25cm) thick [1½ to 2 lbs (750g to 1kg)]

1. Combine all ingredients, except pork chops, in a mixing bowl and blend well.
2. Arrange pork chops in a 2-quart (2L) glass casserole. Pour curry mixture on top. Cover. Microwave at (Power Level 10) for 12 to 23 minutes, or until chops are tender. Let STAND, covered, 5 minutes before serving.

Makes 4 servings.

Cheesy Meatloaf

- 1½ lbs (750g) ground beef
- 1 egg
- 1¼ cups (300mL) soft, fresh bread crumbs
- 1 8-oz (250g) can tomato sauce
- 1 cup (250mL) grated American cheese
- ½ cup (125mL) finely chopped onion
- ¼ cup (50mL) finely chopped green pepper
- ½ tsp (2mL) dried thyme
- ½ tsp (2mL) salt
- ¼ tsp (1mL) pepper

1. Combine all ingredients in a medium mixing bowl. Blend thoroughly.
2. Spread mixture evenly in a glass loaf dish. Cover with waxed paper. Microwave at (Power Level 7) for 23 to 29 minutes, or until center is no longer pink. Let STAND, covered, 5 minutes before serving.

Makes 6 servings.

Franks in Beer

- 1 lb (500g) frankfurters
- 1 12-oz (375g) can beer, at room temperature
- ½ cup (125mL) finely chopped onion

1. Arrange frankfurters in a 2-quart (2L) glass casserole. Pour beer over frankfurters. Sprinkle with onions.
2. Cover. Microwave at (Power Level 10) for 6 to 8 minutes, or until heated. Let STAND, covered, 5 minutes before serving.

Makes 4 to 5 servings.

Pork Roast with Sauerkraut

- 1 32-oz (1kg) jar sauerkraut, drained
- ½ cup (125mL) finely chopped onion
- 1 cup (250mL) chicken broth
- 1 bay leaf
- 1 tsp (5mL) caraway seeds
- 1 tsp (5mL) sage
- ½ tsp (2mL) sugar
- ½ tsp (2mL) salt
- ¾ tsp (3mL) pepper
- 2½ to 3 lbs (1.25kg to 1.5kg) pork shoulder roast, boned and tied

1. Combine all ingredients, except pork, in a 3-quart (3L) glass casserole. Bury pork, fat-side-down, in the middle of the mixture. Cover. Microwave at (Power Level 3) for 22 to 25 minutes per lb (500g).
2. Turn pork fat-side-up. Insert temperature probe into the center. Microwave, uncovered, at (Power Level 5) until internal temperature of the meat reaches 180°F. Let STAND, covered, 10 minutes before serving to complete cooking.

Makes 4 servings.

Tropical Ham Kabobs

- 1 tbsp (15mL) butter or margarine
- 1 tbsp (15mL) lemon juice
- 1 tbsp (15mL) packed dark brown sugar
- 1 tbsp (15mL) honey
- 1 tsp (5mL) soy sauce
- ½ tsp (2mL) ground ginger
- pinch ground cloves
- ¾ lb (375g) cooked ham, cut into 1-inch (2.5cm) cubes
- 1 16-oz (500g) can pineapple chunks
- 2 medium bananas, cut into 1-inch (2.5cm) slices

1. Combine butter, lemon juice, brown sugar, honey, soy sauce, ginger, and cloves in a 2-cup (500mL) glass measure. Microwave at (Power Level 10) for 1 minute, or until brown sugar is melted, stirring twice.
2. Thread ham, pineapple, and banana alternately on four 9-inch (23cm) skewers. (Use wooden skewers.) Arrange kabobs in a 10-inch (25cm) round baking dish. Brush with the butter sauce. Microwave at (Power Level 10) for 5 to 6 minutes, or until heated through, turning the skewers and basting with remaining butter sauce after 3½ minutes.
3. Allow 2 minutes STANDING TIME.

Makes 4 servings.

Veal Paprika

- 1 lb (500g) boneless veal round steak, cut into 1½-inch (4cm) cubes
- 2 cups (500mL) sliced fresh mushrooms
- 1 cup (250mL) chicken broth
- ½ cup (125mL) finely chopped onion
- 1 tbsp (15mL) paprika
- ¼ tsp (1mL) ground thyme
- ½ tsp (2mL) salt
- ¼ tsp (1mL) pepper
- ¼ cup (50mL) dry white wine or dry sherry
- 3 tbsp (50mL) flour
- ½ to 1 cup (125mL to 500mL) sour cream

1. Combine veal, mushrooms, chicken broth, onion, and seasonings in a 3-quart (3L) glass casserole. Cover. Set microwave oven at (Power Level 10) for 5 minutes, and then (Power Level 4) for 29 minutes. Stir twice. If veal is not fork-tender, microwave at (Power Level 4) an additional 12 minutes.
2. In small bowl, blend wine and flour together until smooth. Stir into veal. Cover. Microwave at (Power Level 10) for 3 to 4 minutes, or until sauce is thickened. Stir in the sour cream. Reheat, if necessary, by microwaving at (Power Level 4) for 3 to 4 minutes, stirring every minute. Do not allow to boil or sour cream will curdle.
3. Allow 5 minutes STANDING TIME.

Makes 4 servings.

Roast Beef with Wine Gravy

- 1 cup (250mL) red wine
- 2 tbsp (25mL) oil, preferably olive oil
- 2 cloves garlic, pressed or finely chopped
- ½ tsp (2mL) salt
- ⅓ tsp (1.5mL) pepper
- 4 lbs (2kg) beef top round roast
- 2 tsp (10mL) instant beef bouillon
- 2 tbsp (25mL) flour
- ¼ cup (50mL) beef broth

1. Combine wine, oil, garlic, salt, and pepper in a deep glass bowl. Pierce the meat all over with a fork. Place in the bowl with marinade turning once. Cover. Allow to marinate, refrigerated, for 1 hour or longer, turning occasionally.
2. Remove roast from marinade and place fat-side-down on a microwave-safe roasting rack set in a baking dish. Sprinkle roast with instant beef bouillon. Set marinade aside. Cover meat with waxed paper. Microwave at (Power Level 4) for 41 minutes. Turn meat on other side and insert temperature probe into the center. Cover and microwave at (Power Level 4) until internal temperature of the meat reaches 150°F. Cover roast with aluminum foil and let STAND 15 minutes.
3. Pour drippings from meat into a 4-cup (1L) measure. Skim off fat. Pour marinade through a strainer into the measure. Mix flour and beef broth together until smooth. Blend into liquid. Microwave, uncovered, at (Power Level 10) for 3 to 4 minutes, or until thickened, stirring once. Serve gravy with roast beef.

Makes 10 to 12 servings.

POULTRY

Orange Glazed Duck

POULTRY

The juiciest chicken you will ever eat is a microwaved chicken. In fact, poultry turns out extra succulent and requires very little extra attention. Whole birds become golden, but because microwave cooking is moist cooking, the skin does not get crisp. However, that's easily solved by microwaving, and then popping the poultry in your conventional oven at 450°F. for 10 to 15 minutes.

The same cooking technique is really convenient when barbecuing, just defrost and pre-cook in your microwave oven. Then flash-cook on your grill for that barbecue flavour.

Defrosting Poultry: Tips & Techniques

- Poultry should be removed from its original packaging and placed in a Microproof dish for defrosting. Remove all metal rings, wire twist ties, and any aluminum foil.
- Defrost only as long as necessary. Poultry should be cool in the centre when removed from the oven; separate pieces as soon as possible.
- To speed defrosting during STANDING TIME, poultry may be placed in cold water.
- Wing and leg tips and area near breastbone may begin cooking before centre is thoroughly defrosted. When these areas appear thawed, cover them with small strips of aluminum foil; keep this foil at least one inch from oven walls.
- Cook defrosted poultry immediately after defrosting has been completed.

Microwaving Poultry: Tips & Techniques

- Be sure poultry is completely defrosted before proceeding to cook. Remove giblets and rinse poultry in cool water; then pat dry.
- Arrange poultry so that thicker, meatier pieces face the outside of the baking dish. If cooking legs, arrange them in a round microwave dish like spokes of wheels.
- Poultry has a tendency to splatter and pop as it heats. Cover the baking dish with waxed paper, plastic wrap or a lid, to ensure uniform heating, and to catch the splatters.
- Turn both whole poultry and poultry pieces, to ensure even cooking.
- Drain any juices as they accumulate in the dish. If you wish, reserve the juices and use them to make sauce or gravy.
- Shield any thin or bony pieces with strips of aluminum foil molded closely, to prevent overcooking.
- Cover cooked bird with foil for STANDING TIME. During standing time the internal temperature will equalize. STANDING TIME must always be included.
- Chicken pieces and Cornish hens microwave so fast, they don't have a chance to brown. Use a browning agent or cook with a sauce.
- To test poultry for doneness, check meat next to the bone. It should be fork tender and juices should be clear. Insert a thermometer in the meatiest part of the thigh and breast. After 1 minute the temperature should register 185°F.
- STANDING TIME is important to complete cooking. Let stand 10-20 minutes before carving.

Note: Properly cooked chicken will be fork-tender and moist. There should be no trace of pink in the meat or the juices (should run clear when meat is pierced with a fork).

POULTRY DEFROSTING TABLE

Poultry	Quantity	Power Level	Defrosting Time	Standing Time
CHICKEN				
whole	2½-3 lbs. (1.25-1.5kg)	3	18-24 minutes	20 minutes
pieces	2½-3 lbs. (1.25-1.5kg)		12-15 minutes	15 minutes
breasts (bone-in)	2-3 lbs. (1-1.5kg)		8-12 minutes	20 minutes
drumsticks	1 lb. (500g)		7-8 minutes	10 minutes
thighs	1 lb. (500g)		7-8 minutes	10 minutes
wings	1½ lbs. (750g)		6-10 minutes	10 minutes
CORNISH HENS, WHOLE	1-1½ lbs. (500-750g)	3	15-18 minutes	25 minutes
TURKEY				
pieces	2-3 lbs. (1-1.5kg)	3	12-15 minutes	15 minutes
breast (bone-in)	4-5 lbs. (2-2.5kg)		16-25 minutes	20 minutes
DUCKLING, WHOLE	4-5 lbs. (2-2.5kg)	3	30-40 minutes	25 minutes

POULTRY COOKING TABLE

Poultry	Quantity	Power Level	Cooking Time	Standing Time
CHICKEN				
whole	3-4 lbs. (1.5-2kg)	10	29-41 minutes	15-20 minutes
half	1-1½ lbs. (500-750g)	10	12-14 minutes	10 minutes
pieces	2½-3 lbs. (1.25-1.5kg)	10	19-21 minutes	10 minutes
breasts (bone-in)	2½-3 lbs. (1.25-1.5kg)	10	16-19 minutes	10 minutes
drumsticks	2½-3 lbs. (1.25-1.5kg)	10	19-21 minutes	10 minutes
CORNISH HENS, WHOLE	1-1½ lbs. (500-750g)	10	10-15 minutes	10 minutes
TURKEY				
whole	8-10 lbs. (4-5kg)	10: 7	82-105 minutes	15-20 minutes
pieces	2-3 lbs. (1-1.5kg)	10: 7	35-41 minutes	10 minutes
breast (bone-in)	4-5 lbs. (2-2.5kg)	10: 7	47-58 minutes	10 minutes
DUCKLING, WHOLE	4-5 lbs. (2-2.5kg)	10: 7	64-76 minutes	10 minutes

CONVENIENCE POULTRY COOKING TABLE

Convenience Poultry	Quantity	Power Level	Cooking Time
barbecued chicken, frozen	5- to 6½-oz (150-200g) pouch*	10	3½-6 minutes
chicken à la king, frozen	12-oz (375g) pouch*	10	8-12 minutes
chicken croquettes, thawed	12 ounce (375g) package	10	5-7 minutes
fried chicken, precooked and thawed	2 medium pieces	10	2½-6 minutes
sliced turkey with gravy, frozen	12-oz (375g) pouch*	10	9-13 minutes
turkey tetrazzini, frozen	5- to 6½-oz (150-200g) pouch*	10	3½-6 minutes

* *Slit pouch and place in a baking dish before placing in microwave oven.*
* *When using frozen food products, check packaging for manufacturer's microwave instructions.*

Barbecued Chicken

- 2½ to 3 lbs (1.25-1.5kg) chicken pieces
- 1 cup (250mL) barbecue sauce

1. Arrange chicken in a 10-inch (25cm) round baking dish with the meatier, thicker portions toward the outside of the dish. Cover with waxed paper. Microwave at (Power Level 10) for 4 minutes. Drain and turn over.
2. Brush half of the barbecue sauce over the chicken. Microwave, uncovered, at (Power Level 10) for 6 minutes. Turn, brush with remaining sauce, and continue to microwave at (Power Level 10) for an additional 5 to 8 minutes, or until chicken is tender. Let STAND, covered, 10 minutes before serving.

Makes 4 servings.

Sherried Chicken

- 2½ to 3 lbs (1.25-1.5kg) chicken pieces
- ½ tsp (2mL) salt
- ¼ tsp (1mL) pepper
- 1 large onion, thinly sliced
- ⅓ cup (75mL) dry sherry
- 1 tbsp (15mL) soy sauce
- 1 tbsp (15mL) lemon juice
- 1 tbsp (15mL) flour

1. Arrange chicken pieces in a 10-inch (25cm) round baking dish with meatier, thicker portions toward the outside of the dish. Sprinkle with salt and pepper and top with onion. Combine all remaining ingredients in a small bowl. Pour mixture evenly over chicken.
2. Cover chicken with waxed paper. Microwave at (Power Level 10) for 15 to 18½ minutes, or until chicken is tender, turning the chicken over after 7 minutes cooking time. Let STAND, covered, 15 minutes before serving. Stir pan juices until smooth and spoon over chicken.

Makes 4 servings.

Orange-Glazed Duck

- ¼ cup (50mL) frozen orange juice concentrate
- ⅓ cup (75mL) water or fruit juice
- 1 beef bouillon cube
- 1 tbsp (15mL) packed dark brown sugar
- ¼ tsp (1mL) pepper
- 4 to 5-lbs (2-2.5kg) duck

1. Combine all ingredients, except duck, in a 2-cup (500mL) glass measure. Microwave, uncovered, at (Power Level 10) for 2 to 3½ minutes, or until mixture is hot, stirring twice. Set aside.
2. Remove large lumps of fat from the front cavity of the duck and pierce the skin thoroughly with a fork. Place duck breast-side-down on a microwave roasting rack. Microwave, uncovered, at (Power Level 10) for 35 minutes. Drain off fat.
3. Turn duck breast-side-up and brush with orange glaze. Microwave, uncovered, at (Power Level 10) for 29 to 41 minutes, or until duck is no longer pink near the bones. Brush every 10 minutes with orange glaze. Let STAND, covered, 15 minutes before serving. Use a microwave safe temperature probe or meat thermometer to varify the internal temperature of 185°F uniformly throughout the duck.

Makes 4 servings.

Turkey Florentine

- 2 10-oz (300g) packages frozen chopped spinach, thawed, well drained
- 2 to 3 cups (500mL to 750mL) cubed or thinly sliced turkey
- ½ tsp (2mL) salt
- ¼ tsp (1mL) pepper
- 1 10¼-oz (310g) can condensed cream of mushroom soup
- 3 tbsp (50mL) milk
- 2 tbsp (25mL) dry sherry

1. Place spinach in a 2½-quart (2.5L) glass casserole covering the bottom of the dish evenly. Top with turkey and season with salt and pepper. Blend remaining ingredients until smooth in a small bowl. Pour mixture evenly over turkey.
2. Cover and microwave at (Power Level 10) for 9 to 12 minutes, or until heated through. Let STAND, covered, 10 minutes before serving.

Makes 4 servings.

Coq au Vin

- 5 slices bacon, chopped
- ¼ cup (50mL) flour
- 1 10¾-oz (330g) can condensed beef broth
- 1 cup (250mL) dry red wine
- 1 tbsp (15mL) tomato paste
- ¼ cup (50mL) chopped green onion
- 1 to 2 cloves garlic, pressed or finely chopped
- 1 tbsp (15mL) dried parsley flakes
- ½ tsp (2mL) dried thyme
- 1 small bay leaf
- ½ tsp (2mL) salt
- ¼ tsp (1mL) pepper
- 2½ to 3 lbs (1.25kg to 1.5kg) chicken pieces
- 2 medium carrots, thinly sliced
- 2 cups (500mL) sliced fresh mushrooms

1. Place bacon in a 9-inch (23cm) square baking dish. Cover with paper towel. Microwave at (Power Level 10) for 5 to 6 minutes, or until crisp. Blend flour into drippings. Stir in beef broth and wine. Add all remaining ingredients, except mushrooms.
2. Cover and microwave at (Power Level 10) for 12 minutes, turning the chicken pieces after 7 minutes cooking time. Add mushrooms. Cover and microwave at (Power Level 7) for 12 minutes, or until chicken is cooked through, stirring once. Let STAND, covered, 10 minutes before serving.

Makes 4 servings.

Wine-Glazed Turkey Breast

- 4 to 5-lbs (2kg to 2.5kg) bone-in turkey breast, thawed
- ⅔ cup (150mL) currant jelly
- 3 tbsp (50mL) Madeira, sherry, or port
- ½ tsp (2mL) ground ginger
- ½ tsp (2mL) ground thyme
- ½ tsp (2mL) salt
- ¼ tsp (1mL) pepper

1. Arrange turkey breast skin-side down on a microwave-safe roasting rack, set in a baking dish. Combine all remaining ingredients in a small bowl and beat until smooth. Brush turkey breast liberally with glaze mixture.
2. Microwave, covered, at (Power Level 10) for 20 minutes. Turn skin-side-up and brush with glaze. Insert temperature probe into the center. Microwave, covered, at (Power Level 10) until internal temperature reaches 185°F. If areas of the turkey breast seem to be cooking too quickly, shield them with small pieces of aluminum foil. Let the turkey breast STAND, covered, 20 minutes before serving.

Makes 8 to 10 servings.

Chicken Enchiladas

- 2/3 cup (150mL) chopped onion
- 2 tbsp (25mL) oil
- 3/4 cup (175mL) chopped tomato
- 1 3-oz (80g) can chopped green chillies or 3/4 cup (175mL) chopped green chillies
- 2 to 3 cloves garlic, pressed or finely chopped
- 1/2 tsp (2mL) salt
- 2 cups (500mL) cubed cooked chicken
- 8 6-inch (15cm) flour tortillas
- 1 medium avocado, peeled and puréed
- 1/2 to 1 cup (125mL to 250mL) grated Cheddar cheese
- 1 8-oz (250g) jar taco sauce, warmed

1. Combine onion and oil in a 1½-quart (1.5L) glass bowl. Microwave, covered, at (Power Level 10) for 6 minutes, stirring. Add tomato, chilies, garlic, and salt. Cover. Microwave at (Power Level 10) for 3 minutes, stirring once. Drain. Add chicken. Cover and microwave at (Power Level 10) for 3½ to 5 minutes, or until chicken is hot.
2. Wrap 4 tortillas in a damp towel or in damp paper towelling and microwave at (Power Level 10) for 1 minute, or until softened. Spread about ¼ cup (50mL) of the chicken filling on each tortilla and top with a heaping tbsp of puréed avocado. Roll tortilla around the filling. Repeat with remaining tortillas. Arrange filled tortillas seam-side-down on a 10-inch (25cm) round baking dish.
3. Sprinkle tortillas with cheese. Microwave, uncovered, at (Power Level 10) for 4 to 5 minutes, or until enchiladas are heated through. Serve with any remaining puréed avocado and warm taco sauce.

Makes 4 to 8 servings.

Fruited Cornish Game Hens

- 2 1-lb (500g) Cornish game hens
- 1 cup (250mL) sliced canned peaches, drained, syrup reserved
- 1 cup (250mL) sliced canned pears, drained, syrup reserved
- 1 cup (250mL) strong chicken broth
- 1/2 cup (125mL) syrup from peaches and/ or pears
- 2 tbsp (25mL) lemon juice
- 2 tbsp (25mL) cornstarch
- 1 tsp (5mL) ground ginger

1. Arrange game hens breast-side-up in a 10-inch (25cm) round baking dish. Cover with waxed paper. Microwave at (Power Level 10) for 16 minutes, turning the game hens over after 8 minutes. Drain and turn hens breast-side-up again.
2. Combine remaining ingredients in a 1½-quart (1.5L) mixing bowl and blend well. Pour fruit mixture over game hens. Cover. Microwave at (Power Level 10) for 12 to 14 minutes, or until sauce is thickened and poultry is fully cooked, stirring once. Let STAND, covered, 15 minutes before serving.

Makes 2 to 4 servings.

FISH & SHELLFISH

Baked Red Snapper Meuniere

FISH AND SHELLFISH

Fish and shellfish are excellent microwaved. Their natural high moisture content means fast microwaving. In just a few minutes, your seafood will be flavourful, flaky, firm and moist.

Defrosting Fish & Shellfish: Tips & Techniques

- Remove fish from wrapper; place in a microproof dish.
- Defrost after removing any metal.
- To avoid cooking, check at minimum time. Let stand 5 to 10 minutes to complete defrosting.
- Finish defrosting under cold water, separating fillets.
- Cook DEFROSTED fish immediately.

FISH AND SHELLFISH DEFROSTING TABLE

Fish	Quantity	Power Level	Defrosting Time	Standing Time
Fish fillets	1 lb (500g)	3	5 to 7 minutes	5 minutes
Fish steaks	1 lb (500g)	3	5 to 7 minutes	5 minutes
Whole fish	1½ to 2 lbs (750g-1kg)	3	5 to 7 minutes	5 minutes
Lobster tails	1 lb (500g)	3	8 to 10 minutes	5 minutes
Scallops	1 lb (500g)	3	5 to 6 minutes	5 minutes
Shrimp	1 lb (500g)	3	3 to 4 minutes	5 minutes
Oysters	12 oz (375g) container	3	3 to 4 minutes	5 minutes

Microwaving Fish & Shellfish: Tips & Techniques

- Completely defrost fish and shellfish before cooking.
- Always underestimate cooking times. Fish cooks much faster than you expect, and once overcooked, it will be dry and chewy. Fish is done the moment it turns opaque and the thickest part begins to flake. Shellfish are done when they have turned from pink to red and are firm.
- Arrange pieces with thicker parts toward the outside of the dish.
- Microwave coated and sauced fish uncovered, or lightly covered with waxed paper or plastic wrap. This keeps the coatings from becoming soggy and the sauce from getting watery.
- Test often during the cooking period to avoid overcooking.

FISH AND SHELLFISH COOKING TABLE

Fish	Quantity	Power Level	Cooking Time	Standing Time
Fish fillets	1 lb (500g) 2 lbs (1kg)	10 10	3½-6½ minutes 7-9 minutes	3 to 5 minutes 3 to 5 minutes
Fish steaks	1 lb (500g)	10	5-6 minutes	5 to 6 minutes
Whole fish	1½ to 2 lbs (750g-1kg)	10	5-8 minutes	3 to 5 minutes
Lobster tails	1 lb (500g)	10	4½-7 minutes	3 to 4 minutes
Scallops	1 lb (500g)	7	4½-7 minutes	1 to 2 minutes
Shrimp	1 lb (500g)	7	4½ minutes	1 to 2 minutes

* The method and time are the same for seafood with or without the shell.

Poached Fish Fillets

- 4 fish fillets [1 to 1¼ lbs (500g to 625g)]
- ½ cup (125mL) dry white wine or tomato juice
- 3 tbsp (50mL) butter
- 2 tbsp (25mL) finely chopped green onion
- ¼ tsp (1mL) salt
- ¼ tsp (1mL) pepper

1. Arrange fish fillets in a small, shallow baking dish, with thicker portions toward the outside of the dish. Pour wine over fish. Dot with butter and sprinkle with chopped onion, salt, and pepper. Cover.
2. Microwave at (Power Level 10) for 4½ to 7 minutes, or until fish flakes easily with a fork. Let STAND, covered, 3 to 5 minutes, or until fish becomes firm.

Makes 4 servings.

Baked Red Snapper Meuniere

- ½ cup (125mL) butter
- ¼ cup (50mL) finely chopped parsley
- 1 tbsp (15mL) lemon juice
- 2½ to 3-lbs (1.25kg to 1.5kg) snapper, whole or pan-dressed

1. In a 10-inch (25cm) round baking dish, combine butter, parsley, and lemon juice. Microwave, uncovered, at (Power Level 10) for 1 to 2 minutes, or until butter is melted. Stir to combine ingredients.
2. Place snapper in baking dish, turning once to coat both sides with butter mixture. Cover with waxed paper. Microwave at (Power Level 9) for 9 to 12 minutes, turning the fish over after 4 minutes. The fish is done when the flesh comes away easily from the bones, when flaked with a fork. Let fish STAND, covered, 3 to 5 minutes before serving.

Makes 3 to 4 servings.

Seafood Newburg

- 1 10¾-oz (330g) can condensed cream of mushroom soup
- 1 10-oz (300g) package frozen peas, thawed
- 1 2½-oz (70g) jar mushrooms, drained
- 2 tbsp (25mL) onion, finely chopped
- ¼ cup (50mL) milk or half-and-half
- ¼ tsp (1mL) cayenne pepper
- ¼ tsp (1mL) salt
- ¼ tsp (1mL) pepper
- 1 lb (500g) cooked seafood, cut into bite-size pieces
- 2 to 3 tbsp (25mL to 50mL) sherry

1. Combine all ingredients, except seafood and sherry, in a 1½-quart (1.5L) glass casserole. Blend well. Cover. Microwave at (Power Level 10) for 4½ to 6 minutes, or until heated, stirring once.
2. Add seafood and sherry to mushroom mixture. Cover. Microwave at (Power Level 10) for 6 to 7 minutes, or until heated through, stirring once. Let STAND, covered, 5 minutes, before serving.

Makes 3 to 4 servings

Shrimp Scampi

- ½ cup (125mL) butter or margarine
- 3 to 6 cloves garlic, pressed or finely chopped
- 2 tbsp (25mL) lemon juice
- 2 tbsp (25mL) dried parsley flakes
- ½ tsp (2mL) salt
- ¼ tsp (1mL) pepper
- 1 lb (500g) shrimp, peeled and cleaned

1. In a shallow baking dish, combine all ingredients except for shrimp. Microwave, uncovered, at (Power Level 10) for 3½ to 5 minutes, or until hot, stirring twice.
2. Stir shrimp into butter sauce. Cover. Microwave at (Power Level 10) for 4 to 6 minutes, or until shrimp are opaque. Let STAND, covered, 3 to 5 minutes, before serving.

Makes 4 servings.

Trout Almandine

- ½ cup (125mL) butter
- ½ to ⅔ cup (125mL to 150mL) sliced almonds
- 2 whole trout, cleaned [about 12 oz (375g) each]
- 2 tbsp (25mL) lemon juice
- ¼ tsp (1mL) salt
- ¼ tsp (1mL) pepper

1. Combine butter and almonds in a 2-cup (500mL) glass measure. Microwave, uncovered, at (Power Level 10) 3½ to 6 minutes, or until almonds are lightly browned, stirring twice.
2. Season trout with lemon juice, salt, and pepper. Arrange in a 10-inch (25cm) round baking dish. Pour almond-butter mixture over trout. Cover with waxed paper. Microwave at (Power Level 10) for 6 to 8 minutes, or until fish flakes. Let STAND, covered, 5 minutes before serving.

Makes 2 servings.

Halibut Divan

- 1 lb (500g) halibut fillets
- 1 10-oz (300g) package frozen broccoli spears, thawed
- 1 10¾-oz (330g) cream of shrimp soup
- 2 tsp (10mL) lemon juice
- ¼ tsp (1mL) salt
- ¼ tsp (1mL) white pepper

1. Arrange halibut in a 10-inch (25cm) round baking dish with thicker, meatier portions toward the outside of the dish. Lay broccoli spears on top, with florets facing outward. Cover dish with waxed paper. Microwave at (Power Level 10) for 9 to 12 minutes, or until fish flakes easily and broccoli is tender-crisp. Let STAND, covered, for 3 minutes.
2. In a 4-cup (1L) glass measure, blend all remaining ingredients. After fish has stood 3 minutes, drain juices into sauce mixture. Microwave sauce at (Power Level 10) for 3½ to 5 minutes, or until hot, stirring twice. Stir in any remaining juices from fish. Turn fish onto serving platter and spoon sauce on top.

Makes 4 servings.

Baked Stuffed Clams

- 3 tbsp (50mL) olive oil
- 3 slices bacon, chopped
- ¼ cup (50mL) finely chopped onion
- ⅔ cup (150mL) fine dry bread crumbs
- 2 to 3 tbsp (25mL to 50mL) finely chopped parsley
- 1 to 2 cloves garlic, pressed or finely chopped
- ¼ tsp (1mL) ground thyme
- ¼ tsp (1mL) paprika
- pinch cayenne pepper
- ¼ tsp (1mL) salt
- ¼ tsp (1mL) pepper
- 18 small clams (little necks) scrubbed, opened, and on the half shell

1. Combine olive oil, bacon, and onion in a 1-quart (1L) glass casserole. Microwave, uncovered, at (Power Level 10) for 3½ to 6 minutes, or until bacon is crisp. Add all remaining ingredients, except clams, and blend well.
2. Arrange clams around the edge of a 10-inch (25cm) glass dish. Pierce each clam several times with a toothpick. Top clams with crumb mixture. Microwave, uncovered, at (Power Level 5) for 6 to 7 minutes, or until clams are cooked.
3. Allow 2 minutes STANDING TIME.

Makes 3 to 4 servings.

Salmon Quiche

- 3 eggs
- ⅔ cup (150mL) milk
- 15 to 16 oz (470g to 500g) can salmon, drained and cleaned
- 1 4-oz (125g) can mushrooms, drained
- 2 tbsp (25mL) finely chopped green onion
- 2 tbsp (25mL) finely chopped parsley
- 1 cup (250mL) grated Cheddar cheese
- dash cayenne pepper
- ½ tsp (2mL) salt
- 1 9-inch (23cm) pastry shell in a glass pie pan, baked

1. In small bowl, beat eggs and milk together until blended. Add salmon, breaking lightly with a fork. Gently stir in remaining ingredients. Pour into baked pie shell.
2. Microwave, uncovered, at (Power Level 7) for 19 to 20 minutes. Let STAND for 5 to 10 minutes, or until center sets.

Makes 4 to 6 servings.

VEGETABLES

Green Beans Almondine

VEGETABLES

Microwaved vegetables are delicious! They retain their natural colour, fresh taste and crisp texture. Because vegetables have lots of natural moisture, you need only add 2 to 4 tbsp (25mL to 65mL) of water. Even reheated vegetables retain their original flavour and colour. If you have a garden or have access to lots of fresh vegetables, think microwave! Blanching for the freezer is much easier in the microwave!

Microwaving Vegetables: Tips & Techniques

- Pierce the skins of whole potatoes, sweet potatoes, and winter squash etc. before microwaving. This allows steam to escape and prevents bursting in the oven. Arrange these whole vegetables in a ring, allowing space in between.
- Fresh vegetables should be cooked in a covered glass casserole or baking dish. Add 2 tbsp (25mL) of water per lb (500g) of vegetables.
- Vegetables like broccoli and asparagus should be arranged with the tougher stalks to the outside of the dish.
- Frozen vegetables may be cooked in their original carton, or in a plastic cooking pouch. Vegetables in a carton should be laid on a double thickness of paper towelling which will absorb moisture. Cooking pouches should be slit to allow steam to escape. Check for doneness every minute or so.
- Most vegetables should be allowed to stand 3 to 5 minutes to complete cooking.
- Salt vegetables after cooking. This prevents dehydration.
- Check the vegetable cooking and standing times.

To Blanch Vegetables:

Prepare vegetables as you would for regular cooking. Measure 1 lb (500g) of the vegetables and put them into a 1 to 1½ quart (1L to 1.5L) casserole. Add ¼ to ½ cup (50mL to 125mL) water. Cover and microwave at (Power Level 10) for 3 to 6 minutes. Blanching time is approximately ¼ of the regular cooking time. Vegetables should maintain an even bright colour throughout. Plunge them into ice water immediately to prevent further cooking. Blot with paper towels to absorb excess moisture. Package and freeze.

VEGETABLE COOKING TABLE

Vegetable	Preparation	Quantity	Cooking Time at Power Level 10	Standing Time
artichokes, fresh	whole	4 [8 oz. (250g) ea.]	9-11 minutes	5 minutes
artichokes, frozen	hearts	9-oz. (275g) package	6-7 minutes	5 minutes
asparagus, fresh	1 1/2-in. (4cm) pieces	1 lb. (500g)	5-6 minutes	3 minutes
asparagus, frozen	whole spears	10-oz. (300g) package	5-7 minutes	3 minutes
beans, green or wax, fresh	1 1/2-in. (4cm) pieces	1 lb.(500g)	7-9 minutes	–
beans, green or wax, frozen	cut up	9-oz. (270g) package	4-6 minutes	3 minutes
beets, fresh,	sliced	1 1/2-2 lbs. (750g-1kg)	13-15 minutes	5 minutes
broccoli, fresh	spears	1 lb. (500g)	4-6 minutes	–
broccoli, frozen	whole or cut	10-oz. (300g) package	4-6 minutes	3 minutes
Brussels sprouts, fresh	whole	10-oz. (300g) tub	4-6 minutes	–
Brussels sprouts, frozen	whole	10-oz. (300g) package	4-6 minutes	3 minutes
cabbage, fresh	chopped	1 lb. (500g)	5-7 minutes	5 minutes
	wedges	1 lb. (500g)	5-7 minutes	5 minutes
carrots, fresh	1/2-in. (1.25cm) slices	1 lb. (500g)	4-6 minutes	3 minutes
carrots, frozen	sliced	10-oz. (300g) package	4-6 minutes	3 minutes
cauliflower, fresh	florets	1 medium head	3-4 minutes	3 minutes
	whole	1 medium head	5-6 minutes	5 minutes
cauliflower, frozen	florets	10-oz. (300g) package	3-4 minutes	3 minutes
celery, fresh	1/2-in. (1.25cm) slices	1 lb. (500g)	6-7 minutes	5 minutes
corn, fresh	on cob, husked	4 ears	8-10 minutes	5 minutes
corn, frozen	on cob, husked	4 ears	9-10 minutes	5 minutes
	whole kernel	10-oz. (300g) package	3-4 minutes	3 minutes
eggplant, fresh	cubed	1 lb. (500g)	3-4 minutes	3 minutes
	whole, pierced	1-1 1/4 lbs. (500-625g)	4-7 minutes	5 minutes
leeks, fresh	whole, ends	1 bl. (500g)	7-10 minutes	5 minutes
lima beans, frozen	whole	10-oz. (300g) package	4-6 minutes	3 minutes
mixed vegetables, frozen	–	10-oz. (300g) package	6-7 minutes	3 minutes
mushrooms, fresh	sliced	1 lb. (500g)	3-5 minutes	3 minutes
okra, frozen	sliced	10-oz. (300g) package	7-8 minutes	5 minutes
onions, fresh	whole, peeled	8-10 small	10-13 minutes	5 minutes
peas, fresh	shelled	1 lb. (500g)	4-6 minutes	–
peas, frozen	shelled	10-oz. (300g) package	4-6 minutes	3 minutes
pea pods (snow peas), frozen	whole	6-oz. (170g) package	3-4 minutes	–
peas and carrots	–	10-oz. (300g) package	4-6 minutes	3 minutes
peas, black-eyed, frozen	whole	10-oz. (300g) package	7-8 minutes	5 minutes
parsnips, fresh	cubed	1 lb. (500g)	4-6 minutes	5 minutes
potatoes, white or sweet, fresh	whole	4 [6 oz. (170g) ea.]	9-11 minutes	3 minutes
rutabaga, fresh	cubed	4 cups (1L)	12-13 minutes	5 minutes
spinach, fresh	whole leaf	1 lb. (500g)	4-6 minutes	–
spinach, frozen	leaf or chopped	10-oz. (300g) package	6-7 minutes	3 minutes
squash, summer, fresh	1/2-in. (1.25cm) slices	1 lb. (500g)	5-7 minutes	3 minutes
squash, summer, frozen	sliced	10-oz. (300g) package	4-6 minutes	3 minutes
squash, winter, fresh	whole, pierced	1 1/2 lbs. (750g)	12-13 minutes	5 minutes
squash, winter, frozen	whipped	12-oz. (375g) package	6-7 minutes	3 minutes
succotash, frozen	–	10-oz. (300g) package	4-6 minutes	3 minutes
turnips, fresh	cubed	4 cups (1L)	10-12 minutes	3 minutes

Green Beans Almandine

- 1/3 cup (75mL) slivered or sliced almonds
- 1/4 cup (50mL) butter or margarine
- 1 1/2 lbs (750g) fresh green beans, halved
- 1/3 cup (75mL) water
- 1 tsp (5mL) lemon juice
- 1/2 tsp (2mL) salt
- 1/4 tsp (1mL) pepper

1. Combine almonds and butter in a 2-cup (500mL) glass measure. Microwave, uncovered, at (Power Level 10) for 3 1/2 to 6 minutes, or until almonds are lightly toasted. Set aside.
2. Place beans and water in a 2-quart (2L) glass casserole. Cover. Microwave at (Power Level 10) for 9 to 12 minutes, or until beans are tender-crisp. Drain. Toss beans with reserved almond-butter mixture and all remaining ingredients.

Makes 4 to 6 servings.

Creamed Spinach

- 2 10-oz (300g) packages frozen chopped spinach, thawed and well drained
- 2 tbsp (25mL) butter
- 2 tbsp (25mL) finely chopped green onion
- 1 1/2 tbsp (20mL) flour
- 1 cup (250mL) whipping cream
- 1/3 tsp (1.5mL) ground nutmeg
- 1/2 tsp (2mL) salt
- 1/4 tsp (1mL) pepper

1. Combine spinach, butter, and onion in a 1 1/2-quart (1.5L) glass casserole. Cover and microwave at (Power Level 10) for 5 minutes, or until spinach is very hot, stirring twice.
2. Stir flour into spinach, blending until smooth. Stir in remaining ingredients. Microwave, uncovered, at (Power Level 7) for 4 1/2 to 6 minutes, or until mixture boils and thickens, stirring twice. Let STAND, covered, 5 minutes before serving.

Makes 4 to 6 servings.

Mashed Potatoes

- 2 lbs (1kg) potatoes, peeled and quartered
- 3 tbsp (50mL) water
- 2/3 cup (150mL) half-and-half or milk
- 1/4 cup (50mL) butter or margarine
- 1/2 to 3/4 tsp (2mL to 3mL) salt
- 1/4 tsp (1mL) white pepper

1. Place potatoes in a 2-quart (2L) glass bowl. Add water. Cover. Microwave at (Power Level 10) for 9 to 11 minutes, or until potatoes are tender, stirring twice. Let STAND, covered, 5 minutes. Drain off liquid. Beat with electric mixer. Cover and set aside.
2. Heat all remaining ingredients in a 2-cup (500mL) glass measure, uncovered, at (Power Level 10) for 2 to 3 1/2 minutes. Gradually pour milk mixture into potatoes while beating potatoes with electric mixer until smooth. If necessary, reheat mashed potatoes by covering and microwaving at (Power Level 10) for 2 to 3 1/2 minutes.

Makes 6 servings.

Asparagus Parmesan

- 2 10-oz (300g) packages frozen asparagus
- 3 tbsp (50mL) butter, or margarine
- ⅔ cup (150mL) grated Parmesan cheese
- ¼ tsp (1mL) pepper

1. Place asparagus in a 2-quart (2L) glass casserole. Cover. Microwave at (Power Level 10) for about 10 to 12 minutes, or until asparagus is tender, separating the asparagus. Drain well.
2. Sprinkle pieces of butter over asparagus and gently tilt the dish to coat asparagus with butter. Sprinkle with Parmesan cheese and pepper. Microwave, uncovered, at (Power Level 7) for 3½ minutes. Let STAND 2 to 3 minutes before serving.

Makes 4 to 6 servings.

Broccoli in Egg Sauce

- 2 10-oz (300g) packages frozen chopped broccoli, thawed and well drained
- 1 10¾-oz (300g) can condensed cream of mushroom soup
- 4 hard-cooked eggs chopped
- ¼ cup (50mL) whipping cream
- 1 tbsp (15mL) sherry (optional)
- ⅛ tsp (0.5mL) ground nutmeg
- ⅛ tsp (0.5mL) cayenne pepper
- ¼ tsp (1mL) salt
- ¼ tsp (1mL) white pepper
- ½ cup (125mL) grated Swiss cheese
- ⅓ cup (75mL) fine dry bread crumbs
- 2 tbsp (25mL) butter

1. Combine broccoli and soup in a 2-quart (2L) casserole. Gently stir in eggs, whipping cream, sherry, and seasonings. Cover. Microwave at (Power Level 10) for 10 to 12 minutes, or until hot, stirring twice.
2. Top casserole with Swiss cheese, crumbs, and pieces of butter. Microwave, uncovered, at (Power Level 10) for 2 to 3 minutes. Let STAND 2 to 3 minutes before serving.

Makes 6 servings.

Mustard-Topped Cauliflower

- 1 medium head cauliflower
- ⅓ cup (75mL) water
- ½ cup (125mL) mayonnaise
- 1 tbsp (15mL) finely chopped onion
- 2 tsp (10mL) prepared mustard
- ¼ tsp (1mL) salt
- ⅔ cup (150mL) grated Cheddar or Swiss cheese
- ¼ tsp (1mL) paprika (optional)

1. Place cauliflower in a deep casserole and add water. Cover. Microwave at (Power Level 10) for 7 to 8 minutes, or until cauliflower is tender. Drain.
2. Combine all remaining ingredients, except cheese and paprika. Spoon mixture over cauliflower, then sprinkle with cheese and paprika. Microwave, uncovered, at (Power Level 7) for 2 to 3⅓ minutes, or until cheese is melted.
3. Cover and allow 2 to 3 minutes STANDING TIME.

Makes 6 servings.

Zucchini Casserole

- 6 slices bacon
- 1 cup (250mL) chopped onion
- 4 medium zucchini cut into ½-inch (1.25cm) slices
- 1 cup (250mL) thick tomato sauce or pizza sauce
- 1 clove garlic, pressed or finely chopped
- ½ tsp (2mL) oregano
- ½ tsp (2mL) salt
- ¼ tsp (1mL) pepper
- 1 cup (250mL) grated mozzarella cheese

1. Arrange bacon in a single layer in a 10-inch (25cm) round baking dish. Microwave, uncovered, at (Power Level 10) for 5 to 6 minutes, or until crisp. Remove bacon and crumble. Add onion to drippings. Microwave, uncovered, at (Power Level 10) for 5 minutes, or until almost tender, stirring twice. Stir in crumbled bacon.
2. Add all remaining ingredients, except cheese and stir to blend. Cover. Microwave at (Power Level 10) for 8 to 10½ minutes or until zucchini is tender, stirring twice.
3. Sprinkle casserole with mozzarella cheese. Cover and let STAND 5 minutes before serving.

Makes 4 servings.

Braised Celery

- 8 stalks celery, cut into 3-inch (7.5cm) lengths
- 1½ cups (375mL) sliced fresh mushrooms
- ½ cup (125mL) chopped onion
- 1 10¾-oz (330g) can condensed beef broth
- 2 tbsp (25mL) butter
- 1 tbsp (15mL) dried parsley flakes
- ½ tsp (2mL) whole thyme leaves
- ¼ tsp (1mL) pepper
- 2 tbsp (25mL) white wine or water
- 1 tbsp (10mL) cornstarch

1. Place all ingredients, except cornstarch and white wine, in a 2-quart (2L) glass casserole. Cover. Set microwave oven at (Power Level 10) for 5 minutes, and then (Power Level 7) for 23 minutes. Stir occasionally.
2. Combine white wine and cornstarch. Stir mixture into the celery. Microwave, uncovered, at (Power Level 10) for 1 to 2½ minutes, or until sauce thickens, stirring once.

Makes 4 servings.

PASTA, RICE & CEREAL

Lasagna

PASTA, RICE & CEREAL

There generally is no timesaved by microwaving pasta, rice, or cereal. But the convenience of cooking right in the serving dish makes it worthwhile. There is also far less stirring required. Leftover pasta is just like fresh-cooked when reheated in the microwave oven.

Microwaving Pasta, Rice & Cereal: Tips & Techniques

If pasta, rice or cereal is to be used in a casserole, undercook it so it is still firm.
Pasta will not stick if you add 1 tsp (5mL) of oil at the beginning of cooking time.

RICE COOKING TABLE

Type of Rice	Quantity	Water	Time at (Power Level 10)	Time at (Power Level 5)
Long grain	1 cup (250mL)	2¼ cups (563mL)	5 to 7 minutes	15 minutes
Brown	1 cup (250mL)	2½ cups (625mL)	6 to 8 minutes	34 to 44 minutes
Long grain & wild rice mix	6 oz (170g) pkg	2⅓ cups (583mL)	6 to 8 minutes	19 minutes
Quick Cooking	1 cup (250mL)	1 cup (250mL)	2 to 3 minutes	Not required

- Combine hot tap water with salt and oil
- Cover with plastic wrap or a casserole cover.
- Microwave at (Power Level 10) until boiling.
- Stir in rice and any seasonings; cover and microwave all rices (except quick cooking) at (Power Level 6) for the time given in chart, or until tender. Stir once or twice.
- Let STAND 5 minutes. Fluff with fork.
- Quick cooking rice is simply stirred into the hot water and allowed to STAND 5 minutes. Fluff with fork.

PASTA COOKING TABLE

Type of Pasta	Quantity	Water	Time at (Power Level 10)	Time at (Power Level 6)
Spaghetti	8 oz (250g)	4 cups (1L)	8 to 9 minutes	7 to 9½ minutes
Macaroni	2 cups (500mL)	3 cups (750mL)	7 to 8 minutes	8½ to 10½ minutes
Lasagna Noodles	8 oz (250g)	6 cups (1.5L)	9 to 12 minutes	12 to 14 minutes
Egg Noodles	4 cups (1L)	6 cups (1.5L)	9 to 12 minutes	12 to 14 minutes

- Combine water with 1 tbsp (15mL) of oil and 1 to 2 tsp (5mL to 10mL) of salt in a 3-quart (3L) casserole.
- Bring water to a boil at (Power Level 10). Stir in pasta. (Spaghetti may have to be broken in half to fit into the casserole.) Cover.
- Cook at the power level given in the chart, until done. Stir twice during cooking. Drain in a colander and rinse with warm water.

Rice Pilaf

- 1 cup (250mL) long grain rice
- 1/3 cup (75mL) butter or margarine
- 1/4 cup (50mL) finely chopped onion
- 1/4 cup (50mL) finely chopped celery
- 2 1/4 cups (550mL) chicken broth
- 1 small bay leaf
- 1/3 tsp (1.5mL) ground thyme
- 1/4 tsp (1mL) salt
- 1/4 tsp (1mL) pepper

1. Combine rice and butter in a 2-quart (2L) glass casserole. Microwave, uncovered, at (Power Level 10) for 6 to 7 minutes, or until rice begins to brown, stirring every minute. Add onion and celery. Microwave, uncovered, at (Power Level 10) for 2 to 3 1/2 minutes longer, or until vegetables are softened.
2. Stir in all remaining ingredients. Cover. Microwave at (Power Level 10) for 6 minutes, and then (Power Level 4) for 14 minutes. Stir twice during cooking. Let rice STAND, covered, 5 minutes before serving.

Makes 6 servings.

Fruity Oatmeal

- 4 cups (1L) hot water
- 2 cups (500mL) quick-cooking oats
- 2/3 cup (150mL) chopped dried apricots or raisins
- 1/4 cup (50mL) packed dark brown sugar
- 1/4 tsp (1mL) salt
- 1 tbsp (15mL) butter
- 1 tsp (5mL) ground cinnamon
- 1/3 tsp (1.5mL) ground nutmeg
- 1/3 tsp (1.5mL) ground ginger
- dash ground cloves or allspice

1. Combine water, oats, fruit, sugar, and salt in a 2-quart (2L) casserole. Cover. Microwave at (Power Level 10) for 5 to 6 minutes, or until oatmeal thickens, stirring twice.
2. Add all remaining ingredients and stir to blend. Cover and let STAND 3 minutes before serving.

Makes 4 servings.

Macaroni and Cheese

- 1/2 lb (250g) uncooked elbow macaroni
- 2 cups (500mL) hot water
- 3 tbsp (50mL) butter or margarine
- 1/2 cup (125mL) finely chopped onion
- 1/4 tsp (1mL) salt
- 1/4 tsp (1mL) pepper
- 2 1/4 cups (550mL) milk
- 12 oz (375g) cheese, cut into cubes [about 3 cups (750mL)]
- 1 1/3 cups (325mL) flour

1. Combine macaroni, water, butter, onion, salt and pepper in a 2-quart (2L) casserole. Cover. Microwave at (Power Level 10) for 6 minutes, and then (Power Level 5) for 5 minutes. Stir twice during cooking.
2. Stir in remaining ingredients. Cover. Microwave at (Power Level 10) for 14 to 17 1/2 minutes, or until macaroni is tender and sauce is thickened and bubbly, stirring every 3 minutes.

Makes 4 servings.

Lasagna

- 1 lb (500g) ground beef
- 3/4 lb (375g) sausage meat
- 1 16-oz (500g) can tomato sauce
- 1 4-oz (125g) can mushroom pieces, drained
- 2 tsp (10mL) dried oregano or basil
- 2 cloves garlic, pressed or finely chopped
- 1 tsp (5mL) salt
- 1/2 tsp (2mL) pepper
- 1/2 lb (250g) lasagna noodles, cooked according to chart on page 47
- 1 cup (250mL) cream-style cottage cheese or ricotta cheese
- 1 6-oz (170g) package sliced mozzarella cheese
- 2/3 cup (150mL) grated Parmesan cheese

1. Crumble beef and sausage into a 1½-quart (1.5L) glass casserole. Cover. Microwave at (Power Level 10) for 7 to 9 minutes, or until meat is lightly browned, stirring 3 times. Drain off fat. Stir in tomato sauce, mushrooms, oregano, garlic, salt and pepper.
2. In a 2-quart (2L) glass casserole, layer ⅓ of the noodles, top with ⅓ of the sauce and ½ of the cottage cheese and mozzarella cheese. Add a second layer of ⅓ of the noodles, ⅓ of the sauce, and the remainder of the cottage cheese and mozzarella cheese. Cover with the last ⅓ of the noodles and last ⅓ of the sauce. Sprinkle with Parmesan cheese. Cover. Microwave at (Power Level 8) for 29 to 35 minutes, or until lasagna is hot in the center. Let STAND, covered, 5 minutes before serving.

Makes 3 to 4 servings.

EGGS & CHEESE

Spinach Ring with Cheese

EGGS & CHEESE

Basic Scrambled Eggs

1. Use a 10-oz (300g) bowl or custard cup for 1 to 2 eggs; use a 1-quart (1L) bowl for 4 to 6 eggs. Beat eggs and milk together with a fork until well blended. Cut butter into small pieces and stir into eggs.
2. Microwave, uncovered, at (Power Level 8) according to the times given in the chart below. Break up and stir eggs with a fork every 30 seconds. Cook until nearly set, then let STAND, covered loosely, for 1 to 3 minutes to complete cooking. Stir and season to taste with salt and pepper.

Eggs	Milk	Butter	Cooking Time
1	1 tbsp (15mL)	1 tsp (5mL)	1 to 1½ minutes
2	2 tbsp (25mL)	2 tsp (10mL)	2 to 3 minutes
4	¼ cup (50mL)	4 tsp (20mL)	3½ to 4 minutes
6	⅓ cup (75mL)	2 tbsp (25mL)	5 to 6½ minutes

STANDING TIME: 1 to 3 minutes

Spinach Ring with Cheese

- 2 10-oz (300g) packages frozen chopped spinach, thawed and well drained
- 1 cup (250mL) cottage cheese
- ½ cup (125mL) grated Swiss cheese
- ¼ cup (50mL) grated Parmesan cheese
- 2 eggs
- ½ tsp (2mL) ground thyme
- ½ tsp (2mL) salt
- ¼ tsp (1mL) pepper
- ¼ cup (50mL) buttered cracker crumbs (optional)

1. Combine all ingredients, except buttered crumbs, in a 2- quart (2L) mixing bowl. Blend thoroughly. Pour mixture into a well-buttered microwave-safe 6- to 8-cup (1.5L to 2L) ring mold. Cover with waxed paper.
2. Microwave at (Power Level 7) for 11 to 12 minutes, or until mold is set. Let STAND, covered, 5 minutes. Turn out onto serving platter. Sprinkle, if desired, with buttered crumbs, and fill with scrambled eggs.

Makes 6 to 8 servings.

Ranchero Eggs

- 2 tbsp (25mL) butter or margarine
- ¼ cup (50mL) finely chopped green pepper
- ¼ cup (50mL) finely chopped onion
- 1 clove garlic, pressed or finely chopped
- 1 28-oz (850g) can tomatoes
- 1 3-oz (80g) can chillies, drained and mashed
- ¾ tsp (3mL) salt
- ½ tsp (2mL) pepper
- 6 eggs
- 1 cup (250mL) grated Monterey jack or Cheddar cheese

1. Combine butter, green pepper, onion and garlic in a 10-inch (25cm) round baking dish. Microwave, uncovered, at (Power Level 10) for 2 to 4 minutes, or until vegetables are tender-crisp, stirring twice. Stir in tomatoes, mashing with a fork to break up, along with chillies, salt, and pepper. Cover and microwave at (Power Level 10) for 6 minutes, stirring once.
2. Break eggs into the tomato mixture along the edge of the dish. Using a toothpick, pierce each egg yolk and egg white. Cover. Microwave at (Power Level 7) for 5 to 6 minutes, or until eggs are done. Sprinkle with cheese, cover, and let STAND 5 minutes before serving.

Makes 3 to 6 servings.

Welsh Rarebit

- 1/4 cup (50mL) butter or margarine
- 1/4 cup (50mL) flour
- 1/2 tsp (2mL) dry mustard
- 1/2 tsp (2mL) Worcestershire sauce
- 1/3 tsp (1.5mL) cayenne pepper
- dash ground nutmeg
- 1/2 tsp (2mL) salt
- 1/4 tsp (1mL) pepper
- 1 cup (250mL) milk
- 1/2 cup (125mL) beer or cider
- 2 cups (500mL) grated Cheddar cheese toast, biscuits or toasted English muffins

1. Place butter in a 1½-quart (1.5L) glass casserole. Microwave at (Power Level 10) for 1 to 2½ minutes, or until melted. Stir in flour and seasonings, blending to make a smooth paste. Add milk, stirring until smooth. Microwave, uncovered, at (Power Level 10) for 3½ minutes, or until boiling and thickened, stirring every minute. (Mixture will be very thick.)
2. Stir beer into milk mixture. Add cheese. Microwave, uncovered, at (Power Level 7) for 4½ to 6 minutres, or until cheese has melted, stirring every minute. Serve over toast, biscuits, or toasted English muffins.

Makes 3 to 4 servings.

SANDWICHES

Pizza Rolls

SANDWICHES

Who doesn't like a sandwich? As a snack, lunch or light supper, only one thing can enhance its appeal. Heating it! It takes just seconds in the microwave oven and it's so easy.

Microwaving Sandwiches: Tips & Techniques

- Sandwiches heat very quickly because they are porous.
- Microwave sandwiches in a paper towel or napkin to prevent the bread from getting soggy.
- Microwave a sandwich until it feels warm, not hot. Overheating causes the bread to become tough and dry.
- Microwave fillings like sloppy joes separately, until hot.

Pizza Rolls

1 lb (500g) ground beef
¼ cup (50mL) finely chopped onion
1 clove of garlic, pressed or finely chopped
½ cup (125mL) thick tomato sauce or pizza sauce
½ tsp (2mL) dried basil or oregano
½ tsp (2mL) salt
¼ tsp (1mL) pepper
2 Italian rolls [about 6 inches (15cm) long]
¾ cup (175mL) grated mozzarella cheese

1. Combine beef, onion, and garlic in a 1-quart (1L) glass baking dish. Cover. Microwave at (Power Level 10) for 7 to 8 minutes, or until beef is brown, stirring twice. Drain off fat. Stir in tomato sauce, oregano, salt, and pepper.
2. Split rolls in half lengthwise and arrange in a round baking dish. Spoon on beef mixture and top with cheese. Microwave, uncovered, at (Power Level 5) for 8 to 9 minutes, or until the cheese is melted and sandwiches are hot.

Makes 4 servings.

Cheeseburgers

1 lb (500g) ground beef
4 slices American process cheese
4 hamburger rolls

1. Shape ground beef into 4 4-inch (10cm) diameter patties. Arrange in a baking dish. Microwave, uncovered, at (Power Level 10) for 3 to 4 minutes, or until done to taste, turning patties over and draining liquid once.
2. Top patties with slices of cheese. Cover and microwave at (Power Level 7) for 1 minute. Let STAND, covered, 2 minutes before serving in hamburger rolls.

Makes 4 servings.

Middle East Sandwiches

- 1 cup (250mL) plain yogurt
- ½ cup (125mL) chopped green pepper
- 2 tbsp (25mL) finely chopped onion
- ½ tsp (2mL) dried mint
- 1½ lbs (750g) ground beef
- 2 cloves garlic, pressed or finely chopped
- 1 8-oz (250g) can stewed tomatoes, chopped
- 1 tbsp (15mL) dried parsley flakes
- 4 individual pita bread
- 1½ cups (375mL) shredded lettuce

1. Mix together yogurt, green pepper, onion, and mint in a small bowl. Set aside.
2. Combine beef and garlic in a 2-quart (2L) glass casserole. Cover. Microwave at (Power Level 10) for 7 to 8 minutes, or until beef begins to brown, stirring twice. Drain off fat. Stir in tomatoes and parsley flakes. Cover. Microwave at (Power Level 9) for 6 to 7 minutes, or until hot, stirring once.
3. Cut a 1½-inch (4cm) piece off each pita bread. Gently open the pocket of the larger remaining piece. Fill pocket with beef mixture and top with shredded lettuce and yogurt dressing.

Makes 4 servings.

Reuben Sandwiches

- 4 slices toasted dark rye or pumpernickel bread
- ½ lb (250g) thinly sliced, cooked, corned beef
- ½ cup (125mL) creamy Russian or Thousand Island dressing
- 1 8-oz (250g) can sauerkraut, rinsed and well drained
- 4 rectangular slices Swiss cheese, cut in half

1. Place toast on a baking tray lined with paper towelling. Spread salad dressing on toast. Top with corned beef. Spread dressing over corned beef. Cover with sauerkraut and place 2 pieces of cheese on each.
2. Microwave, uncovered, at (Power Level 5) for 5 to 6 minutes, or until sandwiches are heated through and cheese has melted.

Makes 4 servings.

BREADS

Apricot Walnut Bread

BREADS

Microwaving Bread: Tips & Techniques

- Microwaved breads and muffins have greater volume than those conventionally baked. They do not brown, however. To give a more attractive appearance, use batter with color, such as spice bread, or add toppings like chopped nuts, toasted coconut, cinnamon and sugar.
- Remember always to underestimate cooking times.
- Breads, which are very porous, overcook quickly and become tough.
- Muffins are done when a toothpick inserted into the center comes out clean. They will appear barely set and may have a couple of moist spots on top, which will disappear after standing.
- The microwave oven will reheat day-old bakery bread so it tastes freshly baked. Don't, however, reheat more than once, or the baked good will start to dry out.

Pumpkin Bread

1 cup (250mL) canned pumpkin
2 eggs
1 tsp (5mL) vanilla
1 cup (250mL) chopped walnuts or pecans
½ cup (125mL) oil
⅓ cup (75mL) water
½ tsp (2mL) ground cinnamon
½ tsp (2mL) ground cloves or allspice
½ tsp (2mL) ground nutmeg or mace
1½ cups (375mL) sugar
1¼ cups (300mL) flour
1 tsp (5mL) baking soda
½ tsp (2mL) salt

1. In a 2-quart (2L) mixing bowl combine pumpkin, eggs, vanilla, nuts, oil, water, and spices. Stir in sugar. Combine flour, baking soda and salt in a separate bowl, then stir into pumpkin mixture. Blend until all ingredients are moistened. Turn batter into a well-greased glass loaf pan.
2. Microwave at (Power Level 5) for 14 minutes and then (Power Level 10) for 7 minutes. If necessary, microwave at (Power Level 10) an additional 3½ to 8 minutes to complete baking. Let loaf STAND 10 minutes before removing from dish. Let STAND an additional 5 minutes before serving.

Makes 1 loaf.

Orange Coffee Cake Ring

1 tbsp (15mL) butter or margarine, softened
¼ cup (50mL) finely chopped walnuts or pecans
2 tbsp (25mL) packed dark brown sugar
¼ cup (50mL) sugar
½ cup (125mL) orange juice
1 egg
2 cups (500mL) buttermilk baking mix
½ cup (125mL) finely chopped walnuts
½ cup (125mL) orange marmalade

1. Grease a 10-cup (2.5L) microwave-safe ring mold with softened butter and coat with nuts and brown sugar. Set aside.
2. Combine sugar, orange juice, and egg in a 1½-quart (1.5L) mixing bowl. Stir in baking mix to blend. Add walnuts and marmalade and stir only until all ingredients mixed. Pour batter into prepared mold. Do not cover.
3. Microwave at (Power Level 5) for 7 minutes, and then (Power Level 10) for 2½ minutes. If necessary, microwave at (Power Level 10) an additional 1½ to 6 minutes, to complete baking. Let STAND 5 minutes before inverting onto serving plate.

Makes 4 to 6 servings.

Corn Muffins

- ½ cup (125mL) flour
- ½ cup (125mL) yellow corn meal
- 2 tbsp (25mL) sugar
- 2 tsp (10mL) baking powder
- ¼ tsp (1mL) baking soda
- ¼ tsp (1mL) salt
- 1 egg, lightly beaten
- ½ cup (125mL) milk or buttermilk
- 2 tbsp (25mL) oil or melted butter

1. In a 1½-quart (1.5L) mixing bowl, combine flour, corn meal, sugar, baking powder, baking soda and salt. Add egg, milk, and oil and stir until all ingredients are moistened. Spoon batter into 8 6-oz (170g) custard cups lined with cupcake papers.
2. Arrange 4 custard cups on a round baking tray. Microwave, uncovered, at (Power Level 10) for 2 to 3½ minutes. Repeat procedure with remaining 4 custard cups. Let muffins STAND 3 minutes before serving.

Makes 8 muffins.

Garlic Bread

- ½ cup (125mL) (1 stick) butter
- 1 to 1½ tsp (5mL to 8mL) garlic powder or 2 to 4 cloves of garlic, pressed
- ¼ tsp (1mL) salt
- ¼ tsp (1mL) pepper, preferably freshly ground
- 1 14-inch (35cm) loaf French bread, slashed ⅔ of the way through at 1-inch (2.5cm) intervals

1. Combine butter, garlic, salt, and pepper in a 2-cup (500mL) glass measure. Microwave, uncovered, at (Power Level 4) for 1 to 2 minutes, or until butter is softened, but not melted. Beat to blend.
2. Spread butter mixture between slashes in bread. Wrap loaf loosely in waxed paper if a soft loaf is desired; leave unwrapped for a slightly crisp loaf. Microwave at (Power Level 10) for 3½ to 6 minutes, or until hot.

Makes 1 loaf.

Apricot Walnut Bread

- ¼ cup (50mL) milk
- ½ cup (125mL) water
- 1 cup (250mL) chopped dried apricots
- grated peel of 1 orange
- ¾ cup (175mL) packed dark brown sugar
- 1 egg, lightly beaten
- 3 tbsp (50mL) oil
- ¾ cup (175mL) chopped walnuts
- 1½ cups (375mL) flour
- 1 tsp (5mL) baking powder
- ¼ tsp (1mL) ground nutmeg or mace
- ½ tsp (2mL) salt

1. Combine milk, water, dried apricots, and orange peel in a 2-quart (2L) glass bowl. Microwave, uncovered, at (Power Level 10) for 2 to 3½ minutes, or until mixture boils, stirring once.
2. Add brown sugar, egg, and oil to fruit mixture, beating to blend well. Stir in remaining ingredients. Pour batter into a greased loaf pan. Do not cover.
3. Microwave at (Power Level 5) for 12 minutes and then (Power Level 10) for 3 minutes. If necessary, microwave at (Power Level 10) an additional 3½ to 8 minutes to complete baking. Let loaf STAND 10 minutes before removing from dish. Let STAND an additional 5 minutes before serving.

Makes 1 loaf.

Pineapple Muffins

- 1 8-oz (250g) can crushed pineapple, well drained, ¼ cup (50mL) syrup reserved
- ⅓ cup (75mL) packed dark brown sugar
- 3 tbsp (50mL) butter or margarine
- 1 egg
- 1 cup (250mL) flour
- ½ cup (125mL) chopped pecans or walnuts
- 1 tsp (5mL) baking powder
- ½ tsp (2mL) salt

1. In a 1½-quart (1.5L) mixing bowl, cream together drained pineapple, brown sugar, and butter. Beat in egg and reserved syrup. Add flour, nuts, baking powder, and salt, stirring only until dry ingredients are moistened. Turn batter into 8 6-oz (170g) custard cups lined with cupcake papers.
2. Arrange 4 custard cups on a round baking tray. Microwave, uncovered at (Power Level 10) for 3½ to 5 minutes, Repeat with remaining 4 custard cups. Let muffins STAND 5 minutes before serving.

Makes 8 muffins.

Sticky Buns

- 6 tbsp (100mL) butter or margarine
- 6 tbsp (100mL) packed dark brown sugar
- 6 tbsp (100mL) chopped pecans or walnuts
- 1 tsp (5mL) ground cinnamon
- 1 cup (250mL) buttermilk baking mix
- ⅓ cup (75mL) cold water
- 2 tbsp (25mL) grated orange peel

1. Place 6 6-oz (170g) custard cups in a circle on a baking tray. In each cup, place 1 tbsp (15mL) butter. Microwave, uncovered, at (Power Level 10) for 2½ to 3½ minutes, or until butter has melted. Swirl custard cups to coat the sides with butter. Add one tbsp (15mL) each brown sugar and chopped nuts to each cup. Dust with cinnamon. Return to oven and microwave, uncovered, at (Power Level 10) for about 3½ minutes, or until hot and bubbly.
2. Blend remaining ingredients together in a small mixing bowl, beating only until smooth. Spoon batter evenly into custard cups. Microwave, uncovered, at (Power Level 10) for 3½ to 4½ minutes, or until top springs back when pressed with a finger. Immediately invert custard cups onto a serving platter. Allow buns to STAND, covered with custard cups, for 2 minutes before serving.

Makes 6 large buns.

Banana Bread

- 2 cups (500mL) packaged biscuit mix
- ½ cup (125mL) packed dark brown sugar
- 3 tbsp (50mL) flour
- ¼ tsp (1mL) ground nutmeg or mace
- ¼ tsp (1mL) salt
- ¼ cup (50mL) milk
- 1 egg, lightly beaten
- ⅔ cup (150mL) mashed banana
- ⅔ cup (150mL) chopped dates
- ⅔ cup (150mL) chopped walnuts

1. Combine biscuit mix, brown sugar, flour, spices, and salt in a medium mixing bowl and stir to blend. Combine milk, egg, and banana in glass measure and add to dry mixture, stirring only until all ingredients are moistened. Stir in dates and nuts. Pour batter into a well greased glass loaf pan.

2: Set microwave oven at (Power Level 5) for 14 minutes, and then (Power Level 10) for 4 minutes. If necessary, microwave an additional 2 to 6 minutes at (Power Level 10) to complete baking. Let loaf STAND 10 minutes before removing from dish. Let STAND an additional 5 minutes before serving.

Makes 1 loaf.

Coconut Cake

CAKES & PIES

Make your very next cake or pie in the microwave. Not only do they cook in half the time, but they are delicious! Cakes are superior in texture, height, and lightness to conventional ones. Pie crust comes out extra flaky.

Microwaving Cakes & Pies: Tips & Techniques

- When making pie fillings, slightly reduce the amount of liquid given in the conventional recipe.
- Pastry will not brown, but it does come out extra flaky. To give it some color, add 1 tsp (5mL) of cocoa or instant coffee to the flour before mixing.
- All pies should be microwaved in a glass pie plate. To check for doneness, the bottom of the crust should look opaque and dry.
- Crumbed crusts work well in the microwave.
- Cakes don't brown in the microwave, but this is not a problem because they are usually frosted, glazed, or sprinkled with icing sugar.
- Because microwaved cakes rise slightly higher than those conventionally baked, fill dish only half full.
- Cakes are done when a toothpick inserted in the centre comes out clean. There may be some moist spots on top immediately after removing from the oven. These will disappear after STANDING a couple of minutes.
- Angel food cake, chiffon cake, and cream puffs need dry heat and don't microwave well.

Fruitcake

1 tbsp (15mL) butter
¼ cup (50mL) graham cracker crumbs
4 oz (125g) chopped dried apricots [about 1 cup (250mL)]
1 cup (250mL) raisins or currants
4 oz (125g) slivered almonds [about 1 cup (250mL)]
¾ cup (175mL) candied cherries, halved
¾ cup (175mL) candied pineapple
¾ cup (175mL) flour
¾ cup (175mL) packed dark brown sugar
½ cup (125mL) shortening
3 eggs
2 tbsp (25mL) rum or brandy
2 tbsp (25mL) vanilla extract
¼ tsp (1mL) almond extract
½ tsp (2mL) ground nutmeg or mace
½ tsp (2mL) baking powder
½ tsp (2mL) salt

1. Grease an 8-cup (2L) fluted bundt pan and coat with crumbs. Set aside.
2. Combine all remaining ingredients in a 3-quart (3L) mixing bowl. Blend well. Pour batter into prepared pan. Microwave, uncovered, at (Power Level 7) for 13 to 14 minutes, or until cake pulls away from the sides of the pan. Let STAND 15 minutes, on a counter before inverting onto a rack to cool. To store, wrap in foil or plastic and refrigerate for no longer than 4 weeks.

Makes 1 cake.

Coconut Cake

- 1 18½-oz (570g) package yellow cake mix
- 1 3¾-oz (100g) package coconut-flavored instant pudding mix
- 4 eggs
- 1 cup (250mL) water
- ¼ cup (50mL) oil
- 1 12-oz (375g) jar strawberry or raspberry preserves
- 2 4½-oz (140g) containers frozen dessert topping, thawed
- 1½ cups (125mL) flaked coconut

1. Combine cake mix, pudding mix, eggs, water and oil in a large bowl and beat at medium speed with mixer for 4 minutes. Pour batter into a well-greased 10 cup (2.5L) fluted tube pan. Microwave, uncovered at (Power Level 7) for 13 to 14 minutes, or until there is no uncooked batter remaining and the cake has begun to pull away from the sides of the pan. Let STAND, covered, for 15 minutes. Loosen edges, invert onto a serving plate. Cover and let STAND until cool.
2. Split cake horizontally into 3 layers, spread with preserves and reassemble. Frost with dessert topping and sprinkle with coconut. Store, covered, in the refrigerator until serving time.

Makes 1 cake.

Plain Pastry Shell

- 1 cup (250mL) flour
- 6 tbsp (100mL) butter or margarine, chilled and cut into ¼ inch (0.6cm) pieces
- ½ tsp (2mL) salt
- 2 to 3 tbsp (25mL to 50mL) ice water

1. Place flour in a deep 1 quart (1L) bowl. Add butter pieces and salt. Using a pastry blender or two knives, cut butter into flour until particles are the size of small peas. Add the water, 1 tbsp (15mL) at a time, stirring with a fork to gather dough. Form dough into a ball.
2. Place ball of dough on a lightly floured work surface. Rolling from the center out, quickly form it into a circle 11-inches (28cm) in diameter. Fold pastry into four and place in a 9-inch (23cm) glass pie plate. Unfold and gently ease to fit contours of the plate. Fold overhanging pastry underneath to build-up a double thickness rim around the edge. Crimp or flute the rim. Prick the sides and bottom of the shell thoroughly with a fork.
3. Microwave, uncovered, at (Power Level 7) for 11 to 12 minutes, or until pastry looks dry and flaky.
Cool before filling.

Makes 1 9-inch (23cm) pastry shell.

Apricot Cheesecake

- 1 16-oz (500g) can apricot halves, drained
- 1 8-oz (250g) package cream cheese, softened
- ⅓ cup (75mL) sugar
- 2 eggs
- 1 tbsp (15mL) lemon juice
- ½ tsp (2mL) vanilla extract
- 1 9-inch (23cm) baked graham cracker crust
- Additional apricot halves, if desired

1. Purée drained apricot halves in blender or food processor. Combine with all remaining ingredients, except pie crust and additional apricot halves, and blend until smooth.
2. Pour mixture into prepared pie crust. Microwave, uncovered, at (Power Level 7) for 20 to 21 minutes, or until center is nearly set. Chill 3 hours or longer before serving. If desired, garnish with additional apricot halves.

Makes 6 to 8 servings.

Devil's Food Cake

- ¾ cup (175mL) sugar
- ¼ cup (50mL) butter or margarine, softened
- 1 egg
- ⅔ cup (150mL) water
- 1 cup (250mL) flour
- ¼ cup (50mL) cocoa
- ¼ tsp (1mL) vanilla extract
- ¾ tsp (3mL) baking soda
- ½ tsp (2mL) salt

1. In a 2-quart (2L) mixing bowl, cream together sugar and butter. Add egg, beating until fluffy. Blend in water. Stir in remaining ingredients, beating until thoroughly mixed. Pour batter into a 9-inch (23cm) round dish.
2. Microwave at (Power Level 7) for 11 to 12 minutes, or until a toothpick inserted in the center comes out clean. Let STAND 10 minutes before removing from dish.

Makes 1 layer.

Cookie or Graham Cracker Crumb Shell

- 6 tbsp (100mL) butter or margarine
- 1½ cups (375mL) graham cracker or cookie crumbs (vanilla wafers, chocolate wafers, or ginger snaps)

1. Place butter in a 9-inch (23cm) glass pie plate. Microwave, uncovered, at (Power Level 10) for 1 to 2 minutes, or until melted. Stir in crumbs. Mix. Press mixture against bottom and sides of pie plate to form crust.
2. Microwave, uncovered, at (Power Level 7) for 3 to 5 minutes, or until set. Let cool before filling.

Makes 1 9-inch (23cm) crumb crust.

Peach Pie

- 2 lbs (1kg) fresh peaches, peeled and sliced
- ½ cup (125mL) packed dark brown sugar
- 1 tbsp (15mL) lemon juice
- 2 tbsp (25mL) cornstarch
- ⅓ tsp (1.5mL) ground cinnamon
- ⅓ tsp (1.5mL) ground nutmeg
- 1 9-inch (23cm) baked pastry shell
- pinch of salt

1. Combine all ingredients, except pastry shell, in a 2-quart (2L) mixing bowl. Toss to blend.
2. Turn peaches into pastry shell. Cover with waxed paper. Microwave at (Power Level 10) for 12 to 15 minutes, or until peaches are tender. Serve warm or at room temperature with whipped cream or ice cream.

Makes 1 pie.

Cherry Cordial Pie

- 3 cups (750mL) miniature marshmallows
- ½ cup (125mL) milk
- ½ cup (125mL) maraschino cherries, drained and chopped
- ¼ cup (50mL) cherry liqueur
- 1 cup (250mL) whipping cream, whipped
- 1 9-inch (23cm) chocolate cookie crumb crust

1. Combine marshmallows and milk in a 2½-quart (2.5L) glass mixing bowl. Microwave, uncovered, at (Power Level 10) for 3½ to 5 minutes, or until marshmallows melt and puff. Stir until smooth. Add chopped cherries and liqueur, blending thoroughly. Let cool, about 30 minutes.
2. Fold whipped cream into marshmallow mixture and turn filling into prepared pie crust. Refrigerate for at least 4 hours. Garnish, if desired, with additional whipped cream and maraschino cherry halves.

Makes 1 pie.

Rich Chocolate Souffle

PUDDINGS AND CUSTARDS, FRUIT DESSERTS

Custards, puddings and sophisticated fruit desserts can be made in just a few minutes in the microwave. On the range top you must stir custard and puddings constantly, to prevent lumps and scorching. Microwaving makes creamy, smooth desserts with a minimum of attention. Fruit desserts keep their shape, texture and flavour.

Microwaving Puddings, Custards, Fruit Desserts: Tips & Techniques

- Mix puddings and custards right in the cooking container; a 4-cup (1L) measure works well.
- Do not overcook puddings.
- Overcooking custard causes it to curdle.
- After microwaving pudding, cover the top with waxed paper or plastic wrap to prevent a "skin" from forming during chilling.

Vanilla Cream Pudding

½ cup (125mL) sugar
2 tbsp (25mL) cornstarch
½ tsp (2mL) salt
2 cups (500mL) milk
1 egg, well beaten
2 tbsp (25mL) butter or margarine
2 tsp (10mL) vanilla extract

1. In a 1½-quart (1.5L) glass bowl, combine sugar, cornstarch, and salt. Gradually add milk, stirring until completely smooth. Microwave, uncovered, at (Power Level 7) for 6 to 8 minutes, or until bubbly and thickened, stirring 3 times.
2. In a separate bowl, beat egg with about ⅔ cup (150mL) of the hot pudding mixture. Quickly stir warmed egg mixture into bowl containing remaining pudding. Microwave, uncovered, at (Power Level 7) for 2 to 3½ minutes, or until mixture thickens enough to coat a spoon, stirring every minute. Add butter and vanilla stirring until butter melts. Refrigerate until serving time.

Makes 4 servings.

Egg Custard

2 cups (500mL) milk
4 eggs
¼ cup (50mL) sugar
grated peel of ½ lemon (optional)
1 tsp (5mL) vanilla extract
pinch salt
ground nutmeg

1. Pour milk into a 4-cup (1L) glass measure and microwave at (Power Level 7) for 4½ to 7 minutes. Meanwhile, in a 1½-quart (1.5L) mixing bowl, beat eggs lightly. Add all remaining ingredients, except nutmeg. Quickly stir in milk.
2. Pour custard mixture into 6 well-buttered 6-oz (170g) custard cups. Arrange cups in circle. Microwave, uncovered, at (Power Level 5) for 10½ to 13 minutes, or until set. Remove cups as they are done and sprinkle with nutmeg to taste. Let cool for 10 minutes at room temperature, then refrigerate until serving time.

Makes 6 servings.

Rich Chocolate Soufflé

- ½ cup (125mL) sugar
- 1 envelope plain gelatin
- 3 eggs, separated
- 1 cup (250mL) milk
- 3 1-oz (30g) squares unsweetened baking chocolate, melted
- ¼ cup (50mL) sugar
- 1 cup (250mL) whipping cream

1. In a 2-quart (2L) glass bowl, stir ½ cup (125mL) sugar and gelatin together. Beat in egg yolks and milk. Microwave, uncovered, at (Power Level 7) for 6 to 7 minutes, or until mixture has thickened and begun to steam. Stir every minute. Beat in chocolate with a wire whip. Refrigerate until mixture holds it shape softly on a spoon, stirring occasionally.
2. In a 2-quart (2L) glass or metal mixing bowl, beat egg whites until soft peaks form. Sprinkle with ¼ cup (50mL) sugar and continue to beat until whites are stiff. Fold first the whites, then the whipped cream into the chilled chocolate mixture. Turn into a small soufflé dish fitted with a 2-inch (5cm) paper collar. Refrigerate for at least 4 hours, or until firm. When ready to serve, peel off paper collar and decorate the soufflé, if desired, with additional whipped cream and chocolate curls.

Makes 8 servings.

Fruit Compote

- 1 cup (250mL) pitted prunes
- 1 8-oz (250g) can apricot halves, undrained
- 1 8-oz (250g) can sliced pears, undrained
- 1 cup (250mL) sliced peeled apples
- 1 tbsp (15mL) lemon juice
- 1 tbsp (15mL) dark rum or brandy (optional)
- ¼ tsp (1mL) ground cinnamon
- ¼ tsp (1mL) ground cloves

1. Combine all ingredients in a 1½-quart (1.5L) glass casserole. Cover.
2. Microwave at (Power Level 10) for 8 to 10 minutes, until apples are tender, stirring 3 times. Serve warm or chilled.

Makes 4 to 6 servings.

Best-Ever Almond Bark

COOKIES & BARS, CANDIES

Homemade candy has always been a special favourite. But now you can make candy more often and not spend all day doing it. Even old-fashioned candies like fudge and peanut brittle are good.

Microwaving Bar Cookies and Candies: Tips & Techniques

- When microwaving candy, use a container that can withstand high temperatures and is 2 to 3 times the volume of the ingredients.
- Only use a conventional candy thermometer when the candy is out of the oven. Special microwave candy thermometers are available, and can be used in the oven while microwaving.

Best-Ever Almond Bark

1 lb (500g) white chocolate
1 cup (250mL) raisins
1 cup (250mL) whole almonds

1. Break up chocolate and place in a 2-quart (2L) glass mixing bowl. Microwave, uncovered, at (Power Level 7) for 7½ to 9 minutes, or until chocolate melts, stirring twice. Stir in raisins and almonds.
2. Immediately pour mixture in a thin layer onto waxed paper. Allow to cool thoroughly. Break into pieces.

Makes about 1½ lbs (750g) candy.

Butterscotch Krispie Treats

½ cup (125mL) butterscotch chips
2 tbsp (25mL) butter or margarine
2½ cups (250g) miniature marshmallows
2½ cups (625mL) crisp rice cereal

1. Place butterscotch chips and butter in a 2-quart (2L) glass casserole. Microwave, uncovered, at (Power Level 7) for 2 to 3 minutes, or until melted. Stir in marshmallows. Microwave, uncovered, at (Power Level 7) for 3½ to 5 minutes, or until marshmallows are softened, stirring twice. Blend until smooth.
2. Stir rice cereal into marshmallow mixture. Press into 2-quart (2L) glass pan. Let STAND until cool and set. Cut into squares.

Makes about 24 squares.

Applesauce Fudge Brownies

½ cup (125mL) butter or margarine
2 1-oz (30g) squares unsweetened baking chocolate
1 cup (250mL) packed dark brown sugar
½ cup (125mL) applesauce
2 eggs
2 tsp (10mL) vanilla extract
1 cup (250mL) flour
½ tsp (2mL) baking powder
¼ tsp (1mL) baking soda
1 cup (250mL) chopped walnuts

1. Place butter and chocolate in a 3-quart (3L) glass mixing bowl. Microwave, uncovered, at (Power Level 10) for 2 to 3½ minutes, or until melted. Stir in brown sugar, applesauce, eggs, and vanilla extract. Blend in flour ¼ cup (50mL) at a time. Add baking powder and soda. Stir in nuts. Pour batter into a well-greased 8-inch (20cm) round baking dish.
2. Microwave, uncovered, at (Power Level 5) for 12 to 14 minutes. Cover and let STAND 5 minutes, then allow to cool, uncovered. Store in a tightly covered container.

Makes 16 brownies.

Caramel Apples

- 1 14-oz (440g) package caramel candy
- 1 tbsp (15mL) water
- 2 tsp (10mL) butter or margarine, softened
- ½ cup (125mL) chopped nuts
- 6 small apples, on wooden sticks

1. Unwrap candies and combine with water in a 1½-quart (1.5L) glass mixing bowl. Microwave, uncovered, at (Power Level 7) for 4½ to 6 minutes, or until melted and smooth, stirring every minute.
2. Spread softened butter on a sheet of waxed paper 18-inches (45cm) long. Sprinkle waxed paper with nuts. Dip apples into melted caramel, turning to coat, then place on waxed paper, turning to cover with nuts. Let STAND 10 minutes to harden.

Makes 6 caramel apples.

BEVERAGES

Spicy Hot Chocolate

BEVERAGES

It is convenient to mix and heat beverages right in the same cup. Instant coffee, tea, cider and bouillon will heat in just a few minutes. Even coffee lovers will like the microwave oven. Refrigerate left over coffee and reheat later in the microwave oven for fresh-brewed flavour.

Microwaving Beverages: Tips & Techniques

- When heating more than 1 cup (250mL) or mug, arrange them in a circle, allowing space between each, for more even heating.
- You can microwave beverages in styrofoam, plastic or paper cups — china can also be used as long as it has no metallic decoration.
- The starting temperature of the liquid will affect how long it takes to get to the selected temperature.

Spicy Hot Chocolate

1 cup (250mL) milk
½ cup (125mL) sugar
3 1-oz (30g) squares unsweetened baking chocloate
1 tsp (5mL) ground cinnamon
¼ tsp (1mL) ground nutmeg or pinch of cloves or mace allspice
4 cups (1L) milk

1. Place all ingredients, except the last 4 cups (1L) of milk, in a 3-quart (3L) glass bowl. Microwave, uncovered, at (Power Level 10) for 6 to 8 minutes, or until chocolate melts, stirring tiwce. Stir until smooth.
2. Gradually blend in remaining milk. Microwave, uncovered, at (Power Level 10) for 9 to 14 minutes, or until very hot, stirring twice. Be careful that chocolate does not boil over. Ladle into cups and garnish, if desired, with whipped cream sprinkled with cinnamon, nutmeg, or grated orange peel.

Makes 4 to 6 servings.

Irish Coffee

4 cups (1L) water
2½ to 3 tbsp (35mL to 50mL) instant coffee
3 tbsp (50mL) sugar
½ cup (125mL) Irish whisky
½ cup (125mL) whipping cream, whipped

1. Combine water, instant coffee, and sugar in a 6-cup (1.5L) microwave-safe glass measure. Microwave, uncovered, at (Power Level 10) for 9 to 12 minutes, or until very hot, stirring once.
2. Pour coffee into mugs. Stir in whisky and top with whipped cream.

Makes 6 servings.

Strawberry Liqueur

1½ pints (1.5L) strawberries, hulled
2 cups (500mL) sugar
2 cups (500mL) vodka

1. Place strawberries in a 2½-quart (2.5L) glass bowl and crush lightly with a spoon. Stir in sugar and vodka. Microwave at (Power Level 5) for 12 minutes, and then (Power Level 1) for 35 minutes. Stir every 10 minutes.
2. Cover and refrigerate 3 to 4 days. Strain into glasses.

Makes about 2 cups (500mL).

Orange Coffee

- 4 cups (1L) water
- 2½ to 3 tbsp (35mL to 50mL) instant coffee
- ¾ cup (175mL) orange liqueur
- ½ cup (125mL) whipping cream
- 2 tbsp (25mL) icing sugar
- Grated peel of 1 orange

1. Combine water and instant coffee in a 6-cup (1.5L) microwave-safe measure. Microwave, uncovered, at (Power Level 10) for 9 to 12 minutes, or until very hot, stirring once.

2. Stir orange liqueur into coffee and pour into mugs. Top each with whipped cream and sugar. Sprinkle whipped cream with grated orange peel.

Makes 6 servings.

APPENDIX

TABLE FOR HEATING FROZEN CONVENIENCE FOODS

Item	Quantity	Power Level	Heating Time (in minutes)	Special Instructions
Appetizers (bite size)	2 servings	9	3 to 5	Heat 12 at a time on paper towel, lined paper plate, or microwave oven roasting rack.
Breakfast TV-style Entree	4 to 5 oz. (125-150g)	9	2 to 3	If container is ¾-inch (2cm) deep, remove foil cover and replace foil tray in original box. For containers more than ¾ inch (2cm) deep, remove food to similar size glass container; heat, covered. Stir occasionally, if possible. Let STAND 5 minutes.
	8 to 9 oz. (250-275g)	9	7 to 9	
	21 oz. (650g)	9	17½ to 20	
Regular TV-style Dinner	11 oz. (337g)	9	6 to 8	
Hearty TV-style Dinner	17 oz. (530g)	9	9 to 12	
Fried chicken	2 pieces	9	4 to 6	Arrange, on paper towel lined paper plate. Cover with paper towel. Let STAND 5 minutes.
	4 pieces	9	6 to 7	
	6 pieces	9	8 to 9	
Fried fish fillets	2 fillets	9	2 to 3½	
	4 fillets	9	4 to 5	
Pizzas	1	9	2 to 3	Arrange on microwave oven roasting rack.
	2	9	3½ to 4½	
	4	9	6 to 7	
Pouch dinners	5 to 6 oz. (150-170g)	9	4½ to 6	Pierce pouch. Set on plate. Turn over half-way through cooking.
	10 to 11 oz. (300-337g)	9	8 to 9	
Bagels	2	3	2 to 3½	Each individually wrapped in paper towelling (for 1 to 2) or arrange on a paper plate; cover with paper towels.
	4	3	3 to 4½	
Danish	1	3	1 to 1½	
	2	3	2 to 2½	
	4 [6 oz. (170g) pkg]	3	3 to 4	
	6 [13 oz. (400g) pkg]	3	4 to 5	
Dinner rolls	6	3	2 to 3	
Crusty rolls	1 [1 to 1¼ oz. (30-38g)]	3	1	
	2	3	1½ to 2	
	4	3	2½ to 3	
Frozen juice Concentrates	6 oz. (170g)	6	1 to 2	Remove lid. If container is foil lined, transfer to pitcher. Let STAND after defrosting.
	12 oz. (375g)	6	2 to 3	
Non-Dairy Creamer	16 oz. (500g)	3	11 to 12½	
Pancakes mix	10 oz. (300g)	3	5 to 6	
Frozen mixed fruit	10 oz. (300g)	3	5 to 6	Pierce pouch or remove metal lid. Set on plate. Let STAND 5 minutes.
Frozen vegetables	6 oz. (170g)	3	3½ to 4½	Pierce box, set on plate. If box is foil wrapped, remove foil. If vegetables are in pouch, pierce pouch. Let STAND 5 minutes.
	10 oz. (300g)	3	6 to 7	
Cheese cake	17 oz. (530g)	3	4 to 5	Remove from original container. Arrange on a serving plate. Let STAND 5 minutes after defrosting. Add an additional 1 to 2 minutes to serve warm.
Brownies	13 oz. (400g)	3	2½ to 3½	
Pound cake	10¼ oz. (310g)	3	1 to 2½	
Coffee cake	11 to 12 oz. (337-375g)	3	3½ to 4½	

TABLE FOR REHEATING

Item	Quantity	Power Level	Heating Time (in minutes)
Spaghetti sauce	2 cups (500mL)	8	4½ to 6
Soup	1 bowl	8	3½ to 5
Beef stroganoff	2 cups (500mL)	8	5 to 7
Sliced roast	3 slices	8	1½ to 2
Chicken	3 pieces	8	4½ to 6
Fish fillet	1 serving	8	1½ to 2½
Casserole	1 cup (250mL)	8	3 to 5
Lasagna noodles	1 serving	8	4½ to 6
Sloppy joe	1 serving	8	1½ to 2
Mashed potatoes	1 cup (250mL)	8	3 to 4
Bread	1 slice	8	½ to 1
Dessert	1 serving	8	1 to 1½
Baby food	1 serving	8	1 to 2
Canned foods	2 cups (500mL)	8	3 to 7

LA CUISSON PAR MICRO-ONDES
LA CUISSON MODERNE

PRÉCAUTIONS À PRENDRE POUR ÉVITER UNE EXPOSITION EXCESSIVE AUX MICRO-ONDES

1. Ne pas essayer de faire fonctionner ce four lorsque la porte est ouverte, car vous pourriez être exposé à des micro-ondes nocives. Il est important de ne pas éliminer ou bloquer les verrous de sécurité.

2. Ne placer aucun objet entre la partie avant du four et la porte, ni laisser aucune poussière ou résidu d'agent nettoyant s'accumuler sur les surfaces d'étanchéité.

3. Ne pas utiliser le four s'il est endommagé. Il importe particulièrement que la porte du four se ferme bien et que les parties suivantes ne soient pas endommagées:
   (1) porte (faussée)
   (2) charnières et loquets (brisés ou lâches)
   (3) joints de la porte et surfaces d'étanchéité.

4. Seul un technicien d'entretien dûment qualifié doit régler ou réparer un four à micro-ondes.

CONVERSION MÉTRIQUE

Mesures impériales	Métriques	Mesures impériales	Métriques
1 c. à thé	5mL	1 oz	25g
1 c. à table	15mL	1 lb	500g
¼ tasse	50mL	2 lb	1kg
⅓ tasse	75mL	1 pinte	1 litre
½ tasse	125mL	2 pintes	2 litres
⅔ tasse	150mL		
¾ tasse	175mL		
1 tasse	250mL		

TABLE DES MATIÈRES

Introduction

Recettes

Appendice

INTRODUCTION

1. PRINCIPES DE FONCTIONNEMENT DE VOTRE FOUR À MICRO-ONDES

Les micro-ondes constituent une forme d'énergie semblable aux ondes de la radio et de la télévision. Votre four à micro-ondes est conçu de façon à tirer avantage de l'énergie produite par les micro-ondes. Le tube magnétron convertit l'électricité en micro-ondes qui sont ensuite envoyées dans la zone de cuisson du four par les ouvertures pratiquées sur la paroi supérieure du four. Les micro-ondes ne peuvent traverser les parois métalliques du four, mais elles passent facilement à travers des matériaux comme le verre, le papier, l'osier, et les plats de cuisson par micro-ondes. Les micro-ondes ne chauffent pas les plats que vous utilisez, même si ceux-ci peuvent devenir chauds sous l'effet de la chaleur dégagée par les aliments. Les micro-ondes attirées par l'humidité contenue dans les aliments font vibrer les molécules d'eau à un rythme de 2450 millions de vibrations à la seconde! Ce phénomène s'appelle absorption. En vibrant ainsi, les molécules se frottent les unes aux autres, produisant une friction. C'est cette friction qui fait chauffer les aliments. Pour vous donner une petite idée de ce phénomène, imaginez la chaleur que ressentiraient vos mains si vous les frottiez à une vitesse de 2450 millions de frictions à la seconde!

Un appareil très sûr: Votre four à micro-ondes est l'un des appareils les plus sécuritaires parmi vos appareils électroménagers. Lorsque la porte est ouverte, l'appareil cesse automatiquement la production de micro-ondes. En fait, une fois converties en chaleur dans les aliments, toutes les micro-ondes sont complètement dissipées.

2. POUR OBTENIR LES MEILLEURS RÉSULTATS DE VOTRE FOUR À MICRO-ONDES

Savoir surveiller la cuisson est essentiel: Les recettes données ici ont été préparées avec grand soin, toutefois votre succès dépend de l'attention que vous allez prêter aux aliments à mesure qu'ils cuisent. Le four à micro-ondes est équipé d'une lampe, qui s'allume automatiquement lors du fonctionnement du four. Vous pouvez donc voir à l'intérieur du four et surveiller la cuisson à mesure. Les directives «d'élever, de remuer, de tourner» etc. . . constituent le minimum à faire pour assurer une cuisson égale et rapide par micro-ondes.

Facteurs ayant une influence sur le temps de cuisson: Les temps de cuisson donnés dans les recettes sont approximatifs. Plusieurs facteurs ont une influence sur les temps de cuisson. La température des ingrédients utilisés dans une recette font une grande différence au niveau des temps de cuisson. Par exemple, un gâteau fait à partir de beurre gelé, de lait et d'oeufs mettra beaucoup plus de temps à cuire que si vous aviez utilisé des ingrédients à la température de la pièce. Il faut également se rappeler que par les jours de grand froid ou de chaleur intense, une grande quantité d'électricité est consacrée au chauffage ou à la climatisation. Votre four dispose donc de moins d'électricité, et la cuisson se fera par conséquent plus lentement que d'habitude.

Les temps de cuisson: Toutes les recettes de cuisson indiquent les temps maximum et minimum. Généralement, vous constaterez qu'après le temps de cuisson minimum les aliments ne sont pas tout à fait cuits. Parfois vous voudrez laisser les aliments cuire au-delà du temps

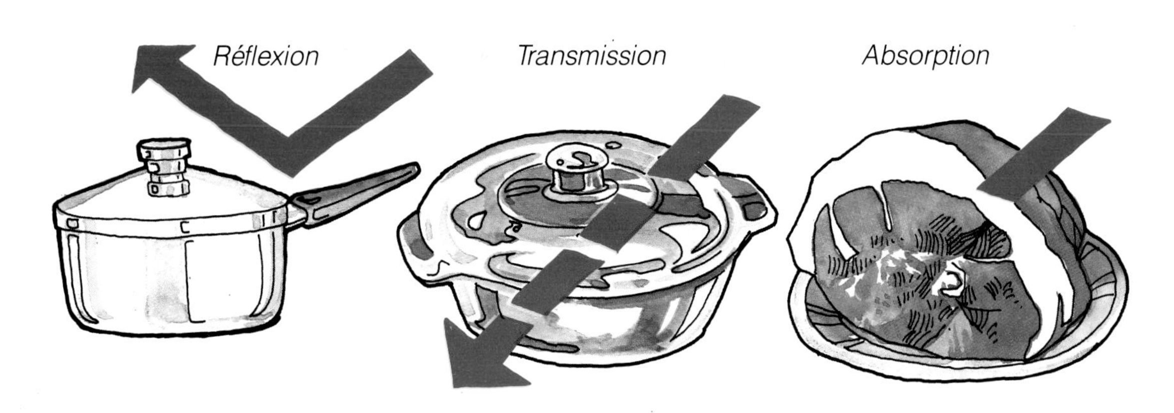

maximum indiqué. Les goûts de chacun varient, de même que les temps de cuisson varient selon les fours et les conditions d'opération. Se rappeler qu'on peut toujours prolonger la cuisson d'un mets pas assez cuit, alors qu'un mets trop cuit peut être gâché.

Certaines recettes suggèrent de sortir les aliments du four avant la cuisson à point, comme les pains, les gâteaux et les crèmes en particulier. Cela n'est pas une erreur.

En effet les aliments continuent de cuire pendant une période d'attente, le temps que la chaleur se transmette graduellement du pourtour au centre. Si les aliments sont laissés à cuire jusqu'à ce que le centre soit à point, le pourtour devient trop cuit — c'est avec l'expérience que vous allez devenir de plus en plus capable de déterminer les temps de cuisson et d'attente nécessaires.

3. INFLUENCE DES CARACTÉRISTIQUES DES ALIMENTS SUR LA CUISSON PAR MICRO-ONDES

Quantité d'aliments: Plus vous mettez d'aliments dans le four, plus le temps de cuisson est prolongé. Rappelez-vous que vous devez réduire le temps de cuisson d'au moins 40% lorsque vous réduisez la recette de moitié et l'augmenter de 50% lorsque vous la doublez.

Densité des aliments: Les aliments légers et poreux, comme les gâteaux et les pains, cuisent plus rapidement que les aliments lourds et denses, comme les rôtis, les pommes de terre et les ragoûts.

Hauteur des aliments: Que la méthode de cuisson soit conventionnelle ou par micro-ondes, les parties proches de la source d'énergie doivent être tournées ou protégées pour assurer une cuisson uniforme.

Forme et taille des aliments: Pour obtenir de bons résultats faites en sorte que les aliments soient uniformes de taille et de forme. Placez les petits morceaux et les morceaux minces au centre et les morceaux épais et plus gros sur le pourtour.

Sucre, matières grasses et humidité: Les aliments à teneur élevée en sucre, matières grasses et humidité cuisent plus vite que ceux à faible teneur.

4. TECHNIQUES SPÉCIALES DE CUISSON PAR MICRO-ONDES

Brunissage: Les viandes et la volaille que l'on fait cuire pendant 15 min ou plus bruniront légèrement dans leur propre gras. On peut donner aux aliments que l'on fait cuire moins longtemps une couleur appétissante en les badigeonnant d'une sauce de couleur brune. Les sauces les plus courantes utilisées à cette fin sont la sauce Worcestershire, la sauce soja, la sauce à barbecue et le bouillon de viande.

Couvercles: En couvrant un plat, vous conservez la chaleur et la vapeur ce qui permet aux aliments de cuire plus vite. Vous pouvez utiliser un couvercle ou une pellicule plastique dont un coin est replié pour laisser échapper l'excès de vapeur.

L'emploi de papier ciré évite les éclaboussures et retient la chaleur en partie. Enveloppez les sandwiches dans des essuie-tout pour éviter qu'ils ne se dessèchent, ou qu'ils ne ramollissent.

Espacement: Les aliments comme les pommes de terre et les petits gâteaux, ainsi que les hors-d'oeuvre cuiront plus uniformément s'ils sont disposés à égale distance les uns des autres dans le four, de préférence en cercle.

Mélange: Le mélange est l'une des techniques de cuisson par micro-ondes les plus importantes. Cette opération sert à mieux distribuer la chaleur et la saveur des aliments. Il faut toujours remuer du pourtour vers le centre, car c'est le pourtour qui cuit en premier.

Retournement: Les gros aliments, comme les rôtis et les poulets entiers, doivent être retournés de sorte que les parties supérieure et inférieure puissent cuire de façon égale. Il est également recommandé de retourner les morceaux de poulet et les côtelettes.

Disposition: Puisque les micro-ondes cuisent du pourtour vers le centre, il vaut mieux placer les plus gros morceaux de viande, volaille ou poisson sur le pourtour du plat. De cette façon les morceaux les plus épais seront les plus exposés au rayonnement des micro-ondes et l'ensemble du plat cuira uniformément.

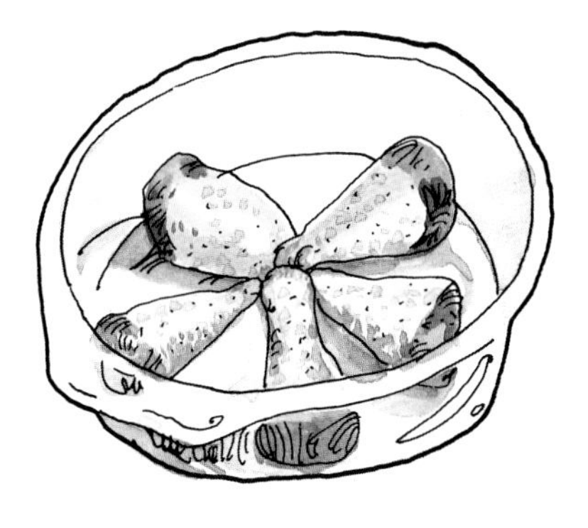

Protection: On peut parfois utiliser des bandes de papier d'aluminium (qui réfléchissent les ondes) sur les coins ou aux angles des plats carrés ou rectangulaires afin de prévenir la surcuisson des aliments. Placer le papier aluminium au moins 1 pouce (2,5cm) des parois du four. Il doit toujours y avoir plus d'aliments que de papier d'aluminium.

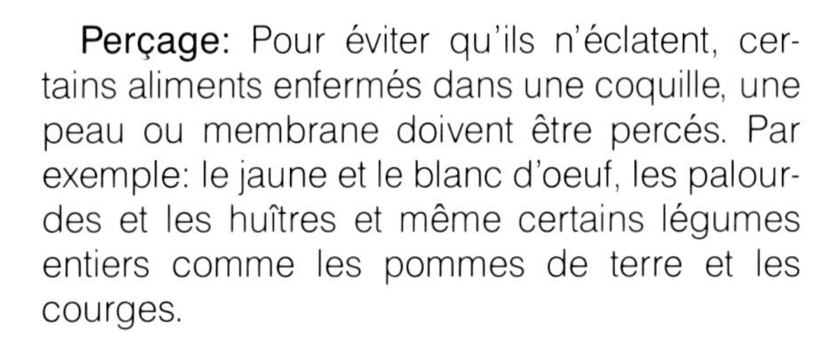

Perçage: Pour éviter qu'ils n'éclatent, certains aliments enfermés dans une coquille, une peau ou membrane doivent être percés. Par exemple: le jaune et le blanc d'oeuf, les palourdes et les huîtres et même certains légumes entiers comme les pommes de terre et les courges.

Vérification du degré de cuisson: La cuisson se fait rapidement dans un four à micro-ondes. Il faut par conséquent vérifier fréquemment le degré de cuisson atteint. La plupart des aliments doivent être retirés avant cuisson complète car ils continuent de cuire pendant la période d'attente.

Période d'attente: Laisser reposer les aliments de 5 à 20 minutes en dehors du four avant de servir. Les couvrir pour garder la chaleur. Les aliments finissent de cuire pendant cette période d'attente.

5. USTENSILES CONÇUS POUR LA CUISSON PAR MICRO-ONDES

N'utilisez jamais des ustensiles de métal ou à garnitures métalliques dans votre four à micro-ondes; celles-ci ne peuvent en effet traverser le métal. Les micro-ondes rebondiront sur tout object de métal se trouvant dans le four et créé-ront un «arc», phénomène qui ressemble aux éclairs. La plupart des ustensiles de cuisine non métalliques et résistants à la chaleur peuvent être utilisés sans danger dans votre four à micro-ondes. Cependant, certains peuvent être composés de matériaux qui les rendent impropres à la cuisson par micro-ondes. Si vous avez des doutes au sujet d'un ustensile en particulier, il y a un moyen pour savoir s'il peut être utilisé dans votre four à micro-ondes.

Vérification des ustensiles pour usage au four à micro-ondes: Placez l'ustensile en question près d'une tasse à mesurer remplie d'eau dans le four à micro-ondes. Chauffez pendant 1 à 2 minutes à (intensité 10). Si l'eau devient chaude alors que l'ustensile reste froid, celui-ci peut être utilisé au four à micro-ondes. Toutefois, si le plat devient très chaud, les micro-ondes ont donc été absorbées par l'ustensile, et il n'est pas prudent de l'utiliser dans le four. Vous avez probablement déjà, dans votre cuisine, divers articles qui peuvent être utilisés dans votre four à micro-ondes pour la cuisson. Voyez la liste suivante:

5.1 Assiettes de porcelaine: Bien des services de table peuvent être employés en toute sécurité. Si vous avez des doutes, voyez les recommandations du fabricant ou procédez au test.

5.2 Articles en verre: Certains plats en verre sont résistants au four à micro-ondes, en particulier les articles traités pour l'emploi au four. La verrerie fine n'est pas à employer tels les gobelets, les verres à vin, car ils risquent d'éclater.

5.3 Papier: Les assiettes en papier et autres contenants non paraffinés sont d'un emploi pratique et sûr, si le temps de cuisson est de courte durée. Les essuie-tout sont pratiques pour absorber l'humidité et la graisse. De préférence, employez des articles en papier blanc.

5.4 Contenants en plastique: Très pratiques pour réchauffer rapidement les aliments déjà cuits. Par contre il ne faut pas les employer pour une période de chauffe prolongée car la chaleur dégagée par les aliments les déformera ou les fera fondre.

5.5 Sacs de cuisson: Ces sacs sont en gênéral assez sûurs. Toutefois, n'oubliez pas de faire une entaille dans le sac pour permettre à la vapeur de s'échapper. Remplacez les attaches métalliques par de la ficelle.

5.6 Plats spécialement prévus pour les fours à micro-ondes: Il en existe de toutes sortes. Les moules à pâtisserie en plastique sont particulièrement pratiques. Vérifiez toujours les instructions du fabricant.

5.7 Plats de faïence, en céramique, en grès: La plupart de ces plats peuvent être employés dans un four à micro-ondes. Par précaution toutefois, faites le test avant de les employer.

5.8 Plats en verrerie, en bois: Ces plats peuvent être employés en toute sécurité pour de courtes périodes dans le four. N'oubliez pas d'enlever toutes attaches métalliques.

5.9 Ustensiles métalliques: Aucun ustensile métallique ne doit être placé dans un four à micro-ondes pendant qu'il fonctionne. Utilisez des cuillères, des spatules ou des brochettes en bois. Ces ustensiles sont vendus dans la plupart des magasins d'ustensiles culinaires. N'utilisez pas des attaches métalliques, du cristal au plomb, ou des assiettes ayant des décorations métalliques (en or par example).

Ustensiles à utiliser

Ustensiles à ne pas utiliser

6. QUELQUES CONSEILS

Eau bouillie: Mettre 1 tasse (250mL) d'eau dans une tasse à mesurer de 2 tasses (500mL) et faire chauffer au four, à découvert, (intensité 10), pendant 2½ à 3½ minutes.

Café instantané: Mettre 6 onces (170g) d'eau dans une tasse ou une chope pour four à micro-ondes. Faire chauffer, à découvert, (intensité 10) pendant 2 à 2½ minutes, ou jusqu'à ce que l'eau soit chaude. Verser les cristaux de café et remuer.

Cacao chaud: Mettre 1 à 2 cuillers à thé (5mL or 10mL) de poudre de cacao et de sucre dans une chope de 8 onces (250g). Ajouter graduellement 6 onces (170g) de lait et remuer pour bien mélanger. Faire chauffer, à découvert, (intensité 8) pendant 2 à 2½ minutes, ou jusqu'à ce que la boisson soit chaude, tout en remuant. Prendre soin que le lait ne déborde pas.

Sirop ou miel réchauffé: Mettre le produit dans un pot de verre et faire chauffer, à découvert, à (intensité 10) jusqu'à ce que le liquide soit tiède. Il faut compter environ 3 minutes pour une tasse (250mL) de sirop ou de miel.

Beurre ou margarine fondu: Mettre le beurre ou la margarine dans une coupe à crème ou une mesure en verre. Faire chauffer, à découvert, à (intensité 4) jusqu'à ce que le produit soit fondu.

Beurre, margarine ou fromage à la crème ramolli: Enlever l'emballage et mettre le produit sur une assiette de service. Faire chauffer, à découvert, à (intensité 4) en vérifiant toutes les 20 secondes.

Carrés et morceaux de chocolat fondus: Mettre le chocolat dans une coupe à crème ou un bol de verre et faire chauffer, à découvert, à (intensité 4). Il faut compter de 3 à 4 minutes pour un carré de chocolat non sucré ou une tasse (250mL) de morceaux de chocolat. Deux carrés de chocolat non sucré ou 2 tasses (500mL) de morceaux de chocolat mettront de 4½ à 7 minutes pour fondre. Remuer pour donner une consistance uniforme.

Caramel fondu: Combiner un paquet de 14 onces (440g) de caramels et 2 cuillers à table (25mL) d'eau dans une mesure de verre de 4 tasses (1L). Faire chauffer, à découvert, à (intensité 10) pendant 3½ à 6 minutes, ou jusqu'à ce que les caramels soient fondus, tout en remuant toutes les minutes.

Amandes rôties: Mettre les amandes tranchées dans une assiette de cuisson peu profonde, ajouter 1 cuiller à thé (5mL) de beurre ou margarine par ½ tasse (125mL) d'amandes. Faire chauffer, à découvert, à (intensité 10) pendant 2 à 5 minutes selon la quantité. Surveiller de près la cuisson tout en remuant toutes les 30 secondes.

Noix de coco grillée: Mettre la noix de coco non sucrée râpée ou en flocons dans une assiette de cuisson peu profonde. Faire chauffer, à découvert, à (intensité 10) pendant environ 3 minutes pour chaque tasse (250mL) de noix de coco. Remuer toutes les 30 secondes.

Croustilles et pretzels raffermis: Mettre les croustilles ou les pretzels dans un panier d'osier garni d'une serviette. Faire chauffer, à découvert, à (intensité 10) pendant environ 1 minute par tasse (250mL), ou jusqu'à ce que les aliments soient tièdes. Laisser refroidir quelques minutes avant de servir.

Pain ou petits pains réchauffés: Les envelopper dans une serviette de table ou les placer sur une serviette de table disposée au fond d'une corbeille en osier. Faire chauffer à (intensité 10) jusqu'à ce que le pain soit légèrement chaud.

Bacon cuit: Mettre les tranches de bacon sur une double épaisseur de papier essuie-tout et recouvrir d'une feuille de papier essuie-tout. Faire chauffer à (intensité 10) pendant environ 1 minute par tranche ou jusqu'à ce que le bacon soit croustillant. Si vous désirez conserver la graisse, faites cuire le bacon sur une grille plutôt que sur une feuille d'essuie-tout.

7. NIVEAUX D'INTENSITÉ DES MICRO-ONDES

Doté de dix niveaux d'intensité, 11 étapes en comprenant 0, votre four à micro-ondes vous donne un maximum de souplesse pour régler la cuisson. Quand votre programme de cuisson est terminé, un avertisseur sonore retentit automatiquement. La table suivante vous donnera une idée des aliments préparés à chacune des diverses intensités.

TABLE DES NIVEAUX D'INTENSITÉ DES MICRO-ONDES

Intensité	Puissance de sortie (en watts)	Utilisation
10	100%	• Faire bouillir l'eau. • Brunir le boeuf haché. • Cuire les fruits et légumes frais. • Préparer les confiseries. • Cuire les poissons, la viande et la volaille. • Chauffer à l'avance un plat à brunir.
9	90%	• Réchauffer des aliments cuits à l'avance. • Faire sauter les oignons, le céleri et les poivrons verts.
8	80%	• Pour réchauffer certains aliments.
7	70%	• Cuire les champignons. • Cuire les aliments contenant du fromage et des oeufs.
6	60%	• Rôtir la viande. • Cuire les gâteaux et muffins. • Préparer les oeufs.
5	50%	• Mijoter. • Cuire la crème anglaise. • Cuire la viande.
4	40%	• Fondre le beurre et le chocolat. • Cuire les morceaux d'une viande peu tendre.
3	30%	• Pour décongeler tout aliment.
2	20%	• Amollir le beurre et le fromage.
1	10%	• Amollir la crème glacée. • Faire lever la pâte au levain.
0	0	• Temps d'attente. • Minuterie indépendante.

8. CUISSON AVEC LA SONDE

L'emploi d'une sonde simplifie considérablement la cuisine au four à micro-ondes. En effet, lorsque l'aliment que vous cuisinez atteint la température désirée, le four s'arrête automatiquement éliminant le risque de surcuisson.

Pour que la température soit évaluée de façon exacte, s'assurer d'enfoncer la sonde au centre sans toucher d'os ou de gras. Éviter d'employer la sonde pour des aliments encore gelés.

La sonde est conçue spécialement pour l'emploi dans un four à micro-ondes. Ne pas employer de thermomètre de cuisine ordinaire. Pour nettoyer la sonde, la rincer à l'eau tiède avec un détergent doux. Ne pas l'immerger dans l'eau.

TABLE DE CUISSON AVEC UNE SONDE

Aliment	Intensité	Température
Gâteaux, pains	7	130°F
Boissons	10	170°F
Ragoûts	5;10	160°F
Aliments préparés	9	170°F-180°F
Poissons, crustacés	10	140°F-160°F
Viandes: Boeuf et agneau	10:7	saignant 120°F-130°F* à point 140°F* bien cuit 150°F-160°F*
Viandes: Porc	10:7	180°F*
Volailles	10:7	185°F*
Sandwiches	9	140°F
Sauces	10	200°F
Soupes (claires)	10	170°F
Soupes (épaisses)	8	170°F

* La température des viandes et volailles s'élève de 5°F à 15°F pendant la PÉRIODE D'ATTENTE, ce qui a pour effet de parachever la cuisson.

9. PRÉPARATION D'UN REPAS COMPLET

Tout comme avec les méthodes de cuisson conventionnelles, on peut, avec un four à micro-ondes, préparer simultanément deux ou trois plats. Pour bien réussir votre repas, il est très important d'étudier le genre d'aliments à préparer, la taille et la forme des contenants pour la cuisson aux micro-ondes, la disposition des plats dans le four, la séquence et le temps de cuisson.

Il serait bon d'observer ces quelques principes de base au moment de planifier la cuisson d'un repas complet:

- Placer la nourriture à cuisson rapide et les produits délicats sur le plateau du bas et la nourriture à cuisson plus longue sur la grille métallique;
- Retirer la grille métallique du four lorsqu'on ne s'en sert pas;
- Vérifier la taille des plats de cuisson pour voir s'ils tiendront tous dans le four en même temps;
- Pour les aliments qui demandent la même durée de cuisson, changer la disposition des plats au milieu de la cuisson;
- Si les couvercles sont trop hauts pour que l'on puisse mettre les plats sur la grille métallique, les remplacer par une pellicule plastique;
- Pour la plupart des recettes d'un repas complet il faut remuer, réarranger les aliments ou tourner les plats au milieu de la cuisson.

PROGRAMMATION D'UN REPAS COMPLET — QUELQUES CONSEILS

- Si les aliments, pris isolément, demandent moins de 15 minutes de cuisson, additionner tous les temps de cuisson et programmer le menu pour la durée totale de cuisson.
- Si les aliments demandent chacun entre 15 et 35 minutes de cuisson, additionner tous les temps de cuisson et soustraire 5 minutes environ.
- Si un plat donné demande plus de 35 minutes de cuisson, tous les aliments peuvent être cuits dans l'intervalle de temps suggéré pour le plat qui prend le plus de temps à cuire.
- Régler le four au niveau d'intensité 10 (100% ou HIGH) lors de la cuisson d'un repas complet.
- Ajouter des aliments délicats, tels les petits pains, une fois que les autres aliments ont presque fini de cuire.

10. DÉCONGÉLATION AUTOMATIQUE

Les instructions suivantes expliquent, point par point, la méthode de décongélation et son application. Nous verrons que la décongélation aux micro-ondes réduit une longue opération en une simple procédure.

TABLEAU DE DÉCONGÉLATION AUTOMATIQUE DES VIANDES

Aliment	Réglage	Au signal sonore	Instructions spéciales
BOEUF			Pour les morceaux de viande de forme irrégulière ou les gros morceaux très gras, protéger de papier d'aluminium la partie étroite ou grasse de la viande au début du cycle de décongélation.
Boeuf haché	MEAT	Enlever avec une fourchette les parties décongelées. Retourner la viande. Remettre le reste au four.	Ne pas décongeler moins d'un quart (125g) de livre. Congeler en forme de beigne.
Galettes de boeuf haché	MEAT	Séparer et réarranger.	Ne pas décongeler moins de deux galettes de 4 onces (125g). Faire un creux au centre avant de congeler.
Bifteck de ronde	MEAT	Retourner. Recouvrir les parties chaudes de papier d'aluminium.	Placer dans un plat micro-ondes.
Bifteck de filet	MEAT	Retourner. Recouvrir les parties chaude de papier d'aluminium.	Placer dans un plat micro-ondes.
Boeuf à ragoût	MEAT	Enlever avec une fourchette les parties décongelées. Séparer ce qui reste et remettre au four.	Placer dans un plat micro-ondes.
Morceau/Rond de palette à braiser	MEAT	Retourner. Recouvrir les parties chaudes de papier d'aluminium.	Placer sur un gril micro-ondes.
Morceau de haut de côte à braiser	MEAT	Retourner. Recouvrir les parties chaudes de papier d'aluminium.	Placer sur un gril micro-ondes.
Côte de boeuf	MEAT	Retourner. Recouvrir les parties chaudes de papier d'aluminium.	Placer sur un gril micro-ondes.
Rosbif de croupe, roulé	MEAT	Retourner. Recouvrir les parties chaudes de papier d'aluminium.	Placer sur un gril micro-ondes.
AGNEAU			
À ragoût, en cubes	MEAT	Enlever avec une fourchette les parties décongelées. Séparer ce qui reste et remettre au four.	Placer dans un plat micro-ondes.
Rôti roulé	MEAT	Retourner. Recouvrir les parties chaudes de papier d'aluminium.	Placer dans un plat micro-ondes.
Côtelettes [1 pouce (2,5cm) d'épaisseur]	MEAT	Séparer et réarranger	Placer sur un gril micro-ondes.
PORC			
Bacon	MEAT	Séparer et réarranger.	Placer sur un gril micro-ondes.
Côtelettes [½ pouce (1,25cm) d'épaisseur]	MEAT	Séparer et réarranger.	Placer sur un gril micro-ondes.
Hot dogs	MEAT	Séparer et réarranger.	Placer sur un gril micro-ondes.
Côtes levées	MEAT	Retourner. Recouvrir les parties chaudes de papier d'aluminium.	Placer sur un gril micro-ondes.
Plat de côtes	MEAT	Retourner. Recouvrir les parties chaudes de papier d'aluminium.	Placer sur un gril micro-ondes.
Chapelet de saucisses	MEAT	Séparer et réarranger.	Placer sur un gril micro-ondes.
Chair à saucisses	MEAT	Enlever avec une fourchette les parties décongelées. Retourner. Remettre ce qui reste au four.	Placer dans un plat micro-ondes.
Rôti roulé, désossé	MEAT	Retourner. Recouvrir les parties chaudes de papier d'aluminium.	Placer sur un gril micro-ondes.
VEAU			
Escalopes [1 livre (500g), ½ pouce (1,25cm) d'épaisseur]	MEAT	Séparer et réarranger.	Placer sur un gril micro-ondes.

TABLEAU DE DÉCONGÉLATION AUTOMATIQUE DE LA VOLAILLE

Aliment	Réglage	Au signal sonore	Instructions spéciales
POULET			Ne pas décongeler les volailles de plus de 5,9 livres (2,95kg) par la méthode AUTO DEFROST (décongélation automatique).
Entier [moins de 4 livres (2kg)]	POULTRY	Retourner le poulet sur la poitrine. Recouvrir les parties chaudes de papier d'aluminium.	Placer le poulet (sur le dos) sur un gril micro-ondes. Finir de le décongeler en le plongeant dans l'eau froide. Enlever les abats lorsque le poulet est partiellement décongelé.
En morceaux	POULTRY	Séparer les morceaux et réarranger. Retourner. Recouvrir les parties chaudes de papier d'aluminium.	Placer sur un gril micro-ondes. Finir de décongeler en les plongeant dans l'eau froide.
Poitrines (désossées)	POULTRY	Séparer et retourner. Couvrir de papier ciré.	Placer sur un gril micro-ondes. Finir de décongeler en les plongeant dans l'eau froide.
POULET DE CORNOUAILLES Entiers	POULTRY	Retourner. Couvrir les parties chaudes de papier d'aluminium.	Placer sur un gril micro-ondes. Finir de décongeler en les plongeant dans l'eau froide.
DINDE Poitrine [moins de 6 livres (3kg)]	POULTRY	Retourner. Couvrir les parties chaudes de papier d'aluminium.	Placer sur un gril micro-ondes. Finir de décongeler en la plongeant dans l'eau froide.

TABLEAU DE DÉCONGÉLATION AUTOMATIQUE DU POISSON ET DES FRUITS DE MER

Aliment	Réglage	Au signal sonore	Instructions spéciales
POISSON			
Filets de poisson	FISH	Retourner. Séparer les filets qui sont partiellement décongelés.	Placer dans un plat micro-ondes. Séparer délicatement les filets sous l'eau froide.
Tranches de poisson	FISH	Séparer et réarranger.	Placer dans un plat micro-ondes. Faire couler de l'eau froide sur les tranches pour finir de les décongeler.
Poisson entier	FISH	Retourner.	Placer dans un plat micro-ondes. Couvrir la tête et la queue de papier d'aluminium; ne pas laisser l'aluminium toucher les parois du four.
FRUITS DE MER			
Chair de crabe	FISH	Séparer. Retourner.	Placer dans un plat micro-ondes.
Queues de homard	FISH	Retourner et réarranger.	Placer dans un plat micro-ondes.
Crevettes	FISH	Séparer et réarranger.	Placer dans un plat micro-ondes.
Pétoncles	FISH	Séparer et réarranger.	Placer dans un plat micro-ondes.

Conversion de recettes

Vous avez tout probablement des recettes favorites que vous préparez selon la méthode conventionnelle et que vous aimeriez pouvoir préparer dans votre four à micro-ondes. La conversion de recettes de la cuisson conventionnelle à la cuisson aux micro-ondes n'est pas difficile. Même s'il n'y a pas de règles absolues à suivre, nous recommandons toutefois d'effectuer quelques ajustements, et, bien entendu, de réduire la durée de la cuisson. Voici quelques conseils à cet effet:

- Si nous avons une recette semblable dans ce livre, utilisez notre recette pour vous guider;
- Les matières grasses sont souvent utilisées dans la cuisson conventionnelle pour empêcher les aliments de coller aux ustensiles. Elles ne sont pas requises pour la cuisson aux micro-ondes. Dans la plupart des cas, si la recette conventionnelle requiert des matières grasses, vous pouvez réduire la quantité requise de moitié ou même l'éliminer complètement pour la cuisson aux micro-ondes;
- La quantité de liquide peut normalemet être réduite du quart pour la cuisson aux micro-ondes. Si dans votre recette, vous avez besoin d'une tasse (250ml) de liquide, utilsez plutôt ¾ de tasse (175 ml);
- Réduire le temps de cuisson de trois quarts par rapport au temps requis pour la cuisson conventionnelle. Il vaut mieux ne pas trop cuire les aliments, les vérifier de temps à autre et continuer la cuisson si nécessaire, quitte à ce que cela vous prenne un peu plus de temps que prévu. Bref, si vous devez faire cuire vos aliments pendant 20 minutes pour une recette conventionnelle, programmez le micro-ondes pour cinq minutes et vérifier les aliments lorsque le four s'arrête.

Tableau du poids des viandes et des volailles pour le cycle d'auto-décongélation

Pour l'auto-décongélation, vous devez programmer le four selon le poids de l'aliment que vous décongelez. Lorsque nous pensons au poids d'un aliment, nous y pensons habituellement en termes de livres et d'onces, lesquelles représentent les divisions d'une livre - 4 onces égalent ¼ de livre (125 g), 8 onces égalent une ½ livre (250 g), etc. Chez votre boucher local, le poids sera souvent indiqué de cette façon mais dans les supermarchés, les emballages de viande et de volaille indiquent les fractions d'une livre en dixième plutôt que les onces - 1,25 lb/625 g au supermarché égale 1 livre 4 onces ou 1¼ lb chez le boucher; 1,5 lb égale 1 livre 8 onces ou 1½ lb/750 g. Pour programmer le poids de l'aliment dans votre four, vous devez le programmer en livres et en dixième de livre. Si vous décidez de décongeler ou de faire cuire de la viande ou de la volaille achetée au supermarché, le poids à programmer est celui déjà indiqué sur l'emballage du supermarché. Utilisez le tableau suivant pour effectuer vos calculs.

Chiffres après la décimale	Équivalent en onces	Système métrique
0,10	1,6	50 g
0,20	3,2	100 g
0,25 (¼ lb)	4,0	125 g
0,30	4,8	150 g
0,40	6,4	200 g
0,50 (½ lb)	8,0	250 g
0,60	9,6	300 g
0,70	11,2	350 g
0,75 (¾ lb)	12,0	375 g
0,80	12,8	400 g
0,90	14,4	450 g
1,00 (1 lb)	16,0	500 g

HORS-D'OEUVRE

Boulettes de poulet au curry

HORS-D'OEUVRE

Lorsque des amis arrivent à l'improviste ou que vous donnez une grande réception, vous pouvez servir rapidement de délicieux hors-d'oeuvre. Ayez en permanence certains ingrédients dans votre garde-manger et votre congélateur. Avec votre four à micro-ondes, vous êtes prêt.

Cuisson au four à micro-ondes de hors-d'oeuvre: conseils et techniques

- De nombreux hors-d'oeuvre peuvent être préparés à l'avance, comme les boulettes de viande et les trempettes. Vous pouvez les réchauffer en une minute ou deux.
- Les hors-d'oeuvre contenant des ingrédients sensibles à la chaleur tels que la crème sure, les oeufs et la mayonnaise se réchauffent à des niveaux d'intensité faibles pour éviter la séparation et la coagulation.
- Vous pouvez préparer à l'avance des garnitures de canapés. Pour éviter d'avoir des fonds pâteux, réchauffez les canapés et les craquelins sur une serviette de papier. Les rôties conviennent parfaitement comme base pour les canapés.
- Lorsque vous réchauffez des hors-d'oeuvre individuels, disposez-les en cercle pour une cuisson uniforme. Remuez de temps en temps les trempettes pour répartir la chaleur de façon uniforme.
- Couvrez les aliments conformément à la teneur en humidité que vous désirez conserver. En couvrant les aliments, on évite les éclaboussures, mais les couvercles et les emballages de plastique enferment l'humidité.
- Ce que vous ne devez pas faire:
  Ne faites pas frire d'aliments.
  La pâte feuilletée ne cuit pas bien au micro-ondes.
  Les mets à base de pain peuvent être cuits au four à micro-ondes mais ils n'en ressortent pas croustillants à moins que vous n'ayez utilisé plat à brunir ou un gril micro-ondes.

Boulettes de poulet au curry

1½ tasse (375mL) de poulet cuit émincé
¼ tasse (50mL) de mayonnaise
3 c. à table (50mL) de raisins secs émincés
2 c. à table (25mL) de flocons d'oignon séché
2 c. à table (25mL) de chapelure
1 c. à thé (5mL) de jus de citron
½ c. à thé (2mL) de poudre de curry
1 oeuf, légèrement battu
1 tasse (250mL) de chapelure

1. Mélanger ensemble tous les ingrédients, sauf l'oeuf et la tasse (250mL) de chapelure. Façonner 24 boulettes.
2. Plonger les boulettes dans l'oeuf battu et les rouler dans la chapelure. Placer 12 boulettes en cercle sur une assiette de carton et cuire, à découvert, à (intensité 10) pendant 3 à 4 minutes, ou jusqu'à ce que les boulettes soient chaudes. Répéter le procédé pour les 12 autres boulettes. Servir avec une mayonnaise au curry.

Donne 24 boulettes.

Nachos

- 30 croustilles tortilla
- 1 boîte de 3⅓ oz (100g) de trempette aux fèves jalapene
- 1⅓ tasse (325mL) de cheddar râpé

1. Tartiner la trempette aux fèves sur chaque croustille tortilla. Recouvrir de fromage. Placer 12 croustilles en cercle sur une assiette de papier.
2. Faire cuire à (intensité 7) pendant 1 minute ou jusqu'à ce que le fromage commence à fondre.

Donne 30 croustilles garnies.

Champignons farcis

- ½ lb (250g) de champignons moyens
- ¼ tasse (50mL) de beurre ou de margarine
- ½ tasse (125mL) d'oignon émincé
- 3 c. à table (50mL) de chapelure
- 1 c. à table (15mL) de flocons de persil séché

1. Nettoyer les champignons et séparer les têtes des tiges. Faire une rangée avec les têtes en mettant la partie creuse sur le dessus, le tout dans une assiette ronde de 10 pouces (25cm). Mettre de côté.
2. Couper les tiges en petits cubes. Mélanger au beurre et aux oignons dans une casserole de verre de 1 pinte (1L). Faire cuire à découvert à (intensité 10) pendant 3½ à 4½ minutes, ou jusqu'à ce que les oignons soient tendres, tout en remuant deux fois. Ajouter la chapelure et le persil et mettre de côté.
3. Couvrir les têtes de champignons et faire cuire à (intensité 10) pendant 2½ à 4 minutes, ou jusqu'à quasi-cuisson. Farcir chaque tête avec le mélange de chapelure. Couvrir et faire chauffer à (intensité 10) pendant 2 minutes, ou jusqu'à ce que le tout soit chaud.

Donne de 25 à 30 bouchées.

Craquelins au thon aigre-doux

- ½ boîte de 7 oz (200g) de thon, bien égoutté
- ¼ de tasse (50mL) de fromage à la crème, ramolli
- 3 c. à table (50mL) d'ananas broyés, bien égouttés
- 1 c. à table (15mL) de vinaigre blanc
- ¼ c. à thé (1mL) de poudre de curry
- 24 craquelins ou toasts melba ronds

1. Déchiqueter le thon et le mélanger aux autres ingrédients, sauf les craquelins, dans un bol à mélanger de 1 pinte (1L). Bien mélanger.
2. Étendre le mélange sur les 24 biscuits. Mettre 12 biscuits en cercle sur une assiette de carton et les faire cuire à découvert à (intensité 10) pendant 3 à 4 minutes, ou jusqu'à ce que la garniture fasse des bulles. Répéter le procédé pour le reste des biscuits.

Donne 24 biscuits.

SAUCES ET GARNITURES À DESSERT

Sauce à spaghetti

SAUCES ET GARNITURES POUR DESSERTS

Lorsque vous aurez commencé à faire cuire des sauces et des jus de viande au four à micro-ondes, vous ne les ferez jamais plus cuire sur une cuisinière. Mesurez, mélangez et faites cuire les ingrédients au four à micro-ondes dans une tasse à mesurer en verre ou dans une saucière.

Sauces cuites au four à micro-ondes: conseils et techniques

- Utilisez un bol profond ou une tasse à mesurer faisant au moins deux à trois fois le volume de la sauce.
- Avez-vous une cuiller en bois? Laissez-la dans la sauce à l'intérieur du four pour remuer deux ou trois fois en cours de cuisson. Le bois ne devient pas chaud et la cuiller sera toujours à votre portée.
- Les sauces faites avec de la fécule de maïs épaississent plus rapidement que celles à la farine.
- Pour adapter une recette conventionnelle d'une sauce ou d'un jus de viande à la cuisson par micro-ondes, réduisez légèrement la quantité de liquide.
- Utilisez le four à micro-ondes pour réchauffer des garnitures et des sauces toutes prêtes dans leur propre bocal. N'oubliez pas d'enlever les couvercles métalliques et de remuer une ou deux fois pour répartir la chaleur.

Sauce au chocolat

- 1 tasse (250mL) de sucre
- 4 c. à table (65mL) de cacao
- 1 c. à table (15mL) de farine
- ⅓ c. à thé (1,5mL) de sel
- ¾ tasse (175mL) de lait
- 2 c. à table (25mL) de beurre
- 2 c. à table (25mL) de sirop de maïs clair
- ½ c. à thé (2mL) d'extrait de vanille

1. Combiner les ingrédients secs dans une mesure en verre de 4 tasses (1L). Y mélanger le lait. Ajouter le beurre et le sirop.
2. Faire cuire à découvert dans le four à micro-ondes, à (intensité 10) pendant 7 à 9 minutes, jusqu'à consistance lisse et épaisse, en remuant deux fois. Y mélanger l'extrait de vanille.

Donne 1½ tasse (375mL).

Sauce blanche

- ¼ tasse (50mL) de beurre ou margarine
- ¼ tasse (50mL) de farine
- ½ c. à thé (2mL) de sel
- ¼ c. à thé (1mL) de poivre blanc (facultatif)
- 2 tasses (500mL) de lait

1. Mettre le beurre ou la margarine dans un bol de verre de 1 pinte (1L). Faire cuire, à découvert, à (intensité 10) pendant 1½ à 2½ minutes, ou jusqu'à ce que le beurre soit fondu. Incorporer la farine, le sel et le poivre pour faire une pâte lisse. Ajouter graduellement le lait en mélangeant bien.
2. Faire cuire, à découvert, à (intensité 7) pendant 6 à 8 minutes, ou jusqu'à ce que la sauce soit épaisse et fasse des bulles; remuer à l'occasion.

Donne 2 tasses (500mL).

Variantes

Sauce au fromage: Incorporer 1 à 1¼ tasse (250mL à 300mL) de fromage râpé (cheddar, suisse, parmesan, ou toute combinaison de fromages) à la sauce finie. Au besoin, faire cuire à (intensité 6) pendant 1 minute pour faire fondre le fromage.

Sauce au curry: Incorporer 2 à 4 c. à thé (10mL à 20mL) de poudre de curry en même temps que la farine.

Sauce à la moutarde: Ajouter 4 à 6 c. à table (65mL à 100mL) de moutarde préparée à la sauce finie. Assaisonner d'un peu de sauce Worcestershire.

Sauce à spaghetti

- ½ tasse (125mL) d'oignon émincé
- 2 c. à table (25mL) d'huile d'olive
- 1 boîte [16 oz (500g)] de sauce tomate
- 2 ou 3 gousses d'ail pressées ou émincées
- 1½ c. à thé (7mL) de basilic séché ou d'origan
- ½ c. à thé (2mL) de sel
- ¼ c. à thé (1mL) de poivre

1. Mélanger l'oignon et l'huile dans un bol de verre de 1 pinte (1L). Cuire à découvert, à (intensité 10) pendant 3½ à 4½ minutes, ou jusqu'à ce que l'oignon soit tendre.
2. Ajouter les autres ingrédients. Couvrir, et faire cuire à (intensité 10) pendant 3 minutes, puis à (intensité 7) pendant 11 à 12 minutes. Remuer trois fois.
3. Laisser REPOSER de 2 à 5 minutes.

Donne environ 2 tasses (500mL).

Sauce aux cerises avec brandy

- ½ tasse (125mL) de sucre
- 1½ c. à table (20mL) de fécule de maïs
- ¼ tasse (50mL) de brandy
- 1 c. à table (15mL) de jus de citron (facultatif)
- 1 boîte 16 oz (500g) de cerises dénoyautées dans un sirop épais

1. Mélanger le sucre et la fécule dans un bol de verre de 1 pinte (1L). Ajouter graduellement le brandy en remuant pour former une pâte lisse. Ajouter le jus de citron et les cerises. Remuer pour donner un mélange uniforme.
2. Couvrir et faire cuire à (intensité 10) pendant 9 à 12 minutes, ou jusqu'à ce que la sauce soit chaude et épaisse; remuer deux fois. Servir chaud sur de la crème glacée ou du gâteau.

Donne environ 2½ tasses (625mL).

SOUPES

Bouillabaisse

SOUPES

Les soupes cuisent rapidement au four à micro-ondes dans leur propre bol ou dans votre soupière. Elles nécessitent très peu d'attention et lorsqu'on les goûte, on dirait qu'elles ont mijoté toute la journée. En outre, le nettoyage est facile.

Soupes cuites au four à micro-ondes: conseils et techniques

- Faites cuire les soupes dans un récipient dont le volume est deux fois celui des ingrédients pour éviter qu'elles ne débordent.
- Recouvrez les soupes avec un couvercle de casserole, du papier ciré ou un emballage de plastique.
- Avant qu'elles ne soient cuites, les soupes ont tendance à bouillir autour des bords. Remuez de temps en temps pour répartir la chaleur uniformément.
- Lorsque vous utilisez une recette conventionnelle pour faire cuire une soupe au four à micro-ondes, réduisez la quantité de sel et d'épices fortes.

Bouillabaisse

2 petites queues de homard
2 lb (1kg) de filets de poisson
12 à 16 palourdes moyennes dans leur coquille
1½ tasses (375mL) d'oignon haché
2 gousses d'ail pressé ou émincé
¼ tasse (50mL) d'huile (d'olive de préférence)
1 boîte [16 oz (500g)] de tomates avec leur jus
1 tasse (250mL) d'eau
¼ tasse (50mL) de persil haché
2 c. à thé (10mL) de basilic séché
1 feuille de laurier
1 c. à thé (5mL) de sel
¼ c. à thé (1mL) de poivre

1. Faire dégeler le poisson s'il est surgelé. Séparer les queues de homard en deux parties sur la longueur, puis couper chaque longueur en quartiers. Couper les filets de poisson en morceaux de 1 pouce (2,5cm). Laver à fond les palourdes. Mettre tout le poisson de côté.
2. Mettre l'oignon, l'ail et l'huile dans une casserole de verre de 3 pintes (3L). Faire cuire, à découvert, à (intensité 10) pendant 4 à 5 minutes, en remuant une fois. Ajouter les autres ingrédients, sauf le poisson, en remuant rapidement pour défaire les tomates. Couvrir et faire cuire à (intensité 10) pendant 10 minutes. Remuer deux fois.
3. Ajouter le poisson, couvrir et faire chauffer à (intensité 10) pendant 7 à 8 minutes, ou jusqu'à ce que le homard et le poisson soient cuits et les palourdes ouvertes; remuer lentement 3 fois.
4. Laisser REPOSER 5 minutes avant de servir.

Donne 6 portions.

Consommé madrilène

2 boîtes [10¾ oz (330g)] de consommé condensé
⅔ tasse (150mL) de jus de tomate
⅔ tasse (150mL) d'eau
⅓ tasse (75mL) de sherry sec
1 c. à thé (5mL) de jus de citron (facultatif)

1. Mélanger tous les ingrédients dans un bol de verre de 2 pintes (2L). Bien remuer.
2. Cuire à (intensité 7) pendant 9 à 12 minutes, ou jusqu'à ce que le consommé soit chaud; remuer 2 fois. Servir, si désiré, avec de la crème sure et des flocons de persil comme décoration.

Donne 4 à 6 portions.

Soupe aux légumes

- 2 tasses (500mL) de bouillon de poulet
- 1 petit oignon tranché
- 1 carotte coupée en rondelles fines
- 1 pomme de terre moyenne pelée et découpée en cubes de ½ pouce (1,25cm)
- 2 branches de céleri coupées en tranches fines
- 1 c. à table (15mL) de persil émincé
- ½ c. à thé (2mL) de basilic séché
- ¼ c. à thé (1mL) de sel
- 1 petite tomate pelée, épépinée et coupée en morceaux
- ½ tasse (125mL) de haricots verts coupés dégelés
- ½ tasse (125mL) de pois dégelés
- ½ tasse (125mL) de chou-fleur dégelé et coupé
- 1 tasse (250mL) de feuilles de laitue ou d'épinards déchiquetées

1. Mélanger le bouillon, l'oignon, la carotte, la pomme de terre, le céleri coupés, le persil, le basilic et le sel dans une casserole de verre de 3 pintes (3L). Couvrir et faire cuire à (intensité 10) pendant 15 minutes.
2. Ajouter les autres ingrédients, couvrir et faire chauffer à (intensité 10) pendant 10 à 15 minutes, ou jusqu'à ce que les légumes soient tendres.

Donne 3 à 4 portions.

Soupe à l'oignon

- 3 tasses (750mL) d'oignon haché finement
- ¼ tasse (50mL) de beurre ou margarine
- 3 boîtes [10¾ oz (330g)] de bouillon de boeuf
- Tranches de pain français rôties
- 1½ tasse (375mL) de fromage suisse râpé
- ¼ tasse (50mL) de parmesan râpé

1. Mettre les oignons et le beurre dans une casserole de verre de 3 pintes (3L). Faire cuire, à découvert, à (intensité 10) pendant 7 à 9 minutes, ou jusqu'à ce que les oignons soient très tendres; remuer deux fois.
2. Ajouter le bouillon de boeuf et couvrir. Faire cuire à (intensitè 10) pendant 4 minutes, puis pendant 12 minutes encore à (intensité 7). Remuer une fois au bout de 3 minutes.
3. Verser la soupe dans quatre bols individuels. Couvrir avec les tranches de pain et saupoudrer avec les deux fromages. Faire chauffer à (intensité 9) pendant 8 à 12 minutes, ou jusqu'à ce que le fromage soit fondu et fasse des bulles.

Donne 4 portions.

VIANDES

Bifteck de flanc farci

VIANDES

Grâce à votre four à micro-ondes, vous pouvez maintenant improviser des plats. Qui plus est, vous n'avez plus à vous rappeler de sortir la viande du congélateur le matin pour le repas du soir. Les techniques de décongélation et la cuisson rapide au four à micro-ondes éliminent tous ces écueils à la planification des repas.

Toutes les viandes cuisent en ⅓ à ½ du temps normal. Elles restent juteuses, car elles ne sont pas exposées à l'air chaud et sec. Pour la même raison, elles sont moins bien saisies que les viandes rôties selon les méthodes ordinaires.

Décongélation des viandes: conseils et techniques

- Placez la viande dans un plat peu profond allant au four pour recueillir les jus. Enlevez tout anneau métallique, attache métallique, fil métallique, feuille d'aluminium, et emballage.
- Ne décongelez la viande que pendant le temps nécessaire. Séparez les aliments comme des côtelettes, des saucisses et du bacon dès que possible. Retournez les aliments une fois ou deux. Enlevez les morceaux à mesure qu'ils sont decongelés et continuez à faire décongeler.
- On peut faire REPOSER des morceaux entiers de viande dès qu'on peut enfoncer une fourchette jusqu'au centre de la viande en exerçant une pression modérée. Le centre restera gelé. Laissez REPOSER la viande jusqu'à ce qu'elle soit complètement décongelée.
- Faites cuire la viande aussitôt qu'elle est complètement décongelée.

TABLEAU DE DÉCONGÉLATION DES VIANDES

Viande	Quantité	Intensité	Temps de décongélation	Temps d'attente
BOEUF				
Saucisses de Francfort	1 lb (500g)		5-6 minutes	2 minutes
Boeuf haché	1 lb (500g)		4-5 minutes	5 minutes
Rognons	2 lb (1kg)		8-12 minutes	10 minutes
Foie	1 lb (500g)		6-7 minutes	10 minutes
Rôti palette	3 lb (1,5kg)		18-20 minutes	15 minutes
Rôti, haut de côte	3-4 lb (1,5-2kg)		22-26 minutes	15 minutes
Rôti, côte (roulé)	3-4 lb (1,5-2kg)	3	15-20 minutes	15 minutes
Rôti, croupe (désossée)	3-4 lb (1,5-2kg)		20-25 minutes	15 minutes
Rôti, pointe de surlonge	4-5 lb (2-2,5kg)		28-33 minutes	20 minutes
Bifteck en cubes	1 lb (500g)		7-8 minutes	10 minutes
Bifteck, flanc	1½ lb (750g)		9-10 minutes	10 minutes
Bifteck, faux filet	2-3 lb (1-1,5kg)		10-14 minutes	10 minutes
Bifteck, ronde	2 lb (1kg)		10-14 minutes	10 minutes
Bifteck, surlonge	2 lb (1kg)		10-12 minutes	10 minutes
VEAU				
Côtelette	1 lb (500g)		9-10 minutes	10 minutes
Veau haché	1 lb (500g)	3	4-5 minutes	10 minutes
Escalope	1 lb (500g)		6-8 minutes	10 minutes
PORC				
Côtelette (½″)	1½ lb (750g)		10-15 minutes	10 minutes
Cubes	1½ lb (750g)		8-10 minutes	10 minutes
Porc haché	1 lb (500g)		5-6 minutes	10 minutes
Rôti, longe (désossée)	4-5 lb (2-2,5kg)	3	28-34 minutes	30 minutes
Côtes levées	3 lb (1,5kg)		12-17 minutes	20 minutes
Escalope, épaule	2½ lb (1,25kg)		12-15 minutes	10 minutes
Filet	1 lb (500g)		10-12 minutes	10 minutes
AGNEAU				
Rôti, gigot ou épaule	4-5 lb (2-2,5kg)	3	28-33 minutes	15 minutes

Cuisson des viandes: conseils et techniques

- Veillez à ce que la viande soit complètement décongelée avant de la faire cuire. Enlevez l'excès de gras.
- Placez la viande, le gras à plat, sur le gril du four à micro-ondes.
- Disposez la viande de sorte que les parties les plus épaisses soient tournées vers l'extérieur du plat allant au four.
- Extrayez les jus qui s'accumulent dans le plat. Conservez-les pour en faire une sauce.
- Protégez les parties minces ou osseuses de bandes de papier d'aluminium moulées à la viande pour prévenir une cuisson excessive. Veillez à ce que le papier d'aluminium soit au moins à 1 pouce (2,5cm) de distance des parois.
- Pour éviter les éclaboussures, recouvrez légèrement la viande de papier ciré.
- Après avoir enlevé la viande du four, laissez-la REPOSER, couverte de papier d'aluminium, pendant 10 à 20 minutes. Pendant ce TEMPS D'ATTENTE la température interne de la viande s'élèvera environ de 5° à 15°F. Le TEMPS D'ATTENTE est une partie importante du temps total nécessaire à la cuisson.

TABLEAU DE CUISSON DES VIANDES

Viande	Quantité	Intensité	Temps de cuisson	Temps d'attente
BOEUF				
Pain de viande	1 1/2 lb (750g)	7	10 à 15 minutes	5 minutes
Entrecôte roulée	3 à 4 lb (1,5-2kg)	5	9 à 11 min (saignant)/lb	15 minutes
			11 à 13 min (à point)/lb	15 minutes
			13 à 15 min (bien cuit)/lb	15 minutes
Rôti, croupe ou épaule	3 à 4 lb (1,5-2kg)	3	16 à 20 minutes/lb	15 minutes
VEAU				
Rôti, de croupe (avec os)	3 à 4 lb (1,5-2kg)	5	9 à 12 minutes/lb	15 minutes
PORC				
Jambon (bien cuit)	5 lb (2,5kg)	10→7	35→60 minutes	15 minutes
Rôti de longe (sans os)	5 à 6 lb (2,5-3kg)	7	45 à 58 minutes	15 minutes
Jarret	7 à 8 lb (3,5-4kg)	7	58 à 70 minutes	15 minutes
AGNEAU				
Rôti, gigot ou épaule	4 à 5 lb (2-2,5kg)	7	17 1/2 à 29 min (à point)	15 minutes
			29 à 41 min (bien cuit)	15 minutes
GIBIER				
Rôti de croupe (avec os)	2 à 3 lb (1-1,5kg)	10→4	40 à 50 minutes	10 minutes

TABLEAU DE CUISSON DE VIANDES PRÉPARÉES

Viande préparée	Quantité	Intensité	Temps de cuisson	Temps d'attente
Tranches de bacon	2 3 4 8	10	$1\frac{1}{2}$-$2\frac{1}{2}$ minutes 2-3 minutes 3-4 minutes 6-7 minutes	1 minute 1 minute 1 minute 1 minute
Tranches de bacon canadien	2 4 8	10	$1\frac{1}{2}$-2 minutes $2\frac{1}{2}$-4 minutes 4-5 minutes	1 minute 1 minute 1 minute
Saucisses de Francfort	2 4	10	2-3 minutes 3-5 minutes	2 minutes 2 minutes
Tranches de jambon 2 oz (60g) chacune	2 4	10	2-$2\frac{1}{2}$ minutes 3-4 minutes	1 minute 1 minute
Hamburgers frais, 4 oz (125g) chacun	1 2 4	10	1-2 minutes 2-3 minutes 3-6 minutes	2 minutes 2 minutes 3 minutes
Saucisses en chapelet, fraîches 1-2 oz (60g) chacune	2 4 8	10	2-$3\frac{1}{2}$ minutes 4-7 minutes 6-10 minutes	2 minutes 2 minutes 2 minutes
Pâtés de saucisse, frais, 1-2 oz (60g) chacun	2 4	10	2-3 minutes 4-7 minutes	2 minutes 2 minutes

Bifteck de flanc farci

- 1 tasse (250mL) d'oignon haché fin
- 1 gousse d'ail pressée ou émincée
- ¼ tasse (50mL) de beurre ou margarine
- 1 paquet [10 oz (300g)] d'épinards hachés, dégelés et bien égoutés
- ⅓ c. à thé (1,5mL) de thym moulu
- ¼ c. à thé (1mL) de sel
- ¼ c. à thé (1mL) de poivre
- 1 bifteck de flanc de boeuf d'environ 1½ lb (750g) coupé en deux
- 1 tasse (250mL) de bouillon de boeuf corsé
- 1 boîte [10¾ oz (330g)] de crème de champignons condensée
- ¼ tasse (50mL) de vin blanc (facultatif)

1. Mettre les oignons, l'ail et le beurre dans un bol de verre de 1½ pinte (1,5L). Faire cuire, à découvert, à (intensité 10) pendant 6 à 7 minutes, ou jusqu'à ce que l'oignon soit tendre; remuer une fois. Incorporer les épinards, le thym, le sel et le poivre. Couvrir et faire chauffer à (intensité 10) pendant 3 minutes; remuer une fois.
2. Aplatir le bifteck avec un maillet. Étaler le mélange aux épinards sur la viande et la rouler. Attacher le rouleau ou le fixer avec des cure-dents de bois. Mettre le tout dans une casserole de verre de 2 pintes (2L).
3. Combiner les autres ingrédients et les verser sur le bifteck. Couvrir et faire cuire à (intensité 10) pendant 8 minutes. Retourner le bifteck et le faire cuire à (intensité 4) pendant 45 à 50 minutes par livre ou jusqu'à ce que la viande soit tendre. Laisser REPOSER couvert pendant 10 minutes avant de servir.

Donne 4 portions.

Pain de viande au fromage

- 1½ lb (750g) de boeuf haché
- 1 oeuf
- 1¼ tasses (300mL) de mie de pain
- 1 boîte [8 oz (250g)] de sauce aux tomates
- 1 tasse (250mL) de fromage américain râpé
- ½ tasse (125mL) d'oignon finement haché
- ¼ tasse (50mL) de piment vert finement haché
- ½ c. à thé (2mL) de feuilles de thym entières broyées
- ½ c. à thé (2mL) de sel
- ¼ c. à thé (1mL) de poivre

1. Mettre tous les ingrédients dans un bol à mélanger de taille moyenne. Bien mélanger les ingrédients.
2. Étaler le mélange uniformément dans un plat à pain de viande en verre. Recouvrir de papier ciré. Faire cuire à (intensité 7) pendant 23 à 29 minutes, ou jusqu'à ce que le centre du pain ne soit plus rose. Laisser REPOSER, couvert, pendant 5 minutes avant de servir.

Donne 6 portions.

Saucisses allemandes à la bière

- 1 lb (500g) de saucisses de Francfort
- 1 canette [12 oz (375g)] de bière, à la température ambiante
- ½ tasse (125mL) d'oignon émincé

1. Placer les saucisses dans une casserole de verre de 2 pintes (2L). Verser la bière sur les saucisses, puis les recouvrir avec les oignons.
2. Couvrir et faire cuire à (intensité 10) pendant 9 à 12 minutes, ou jusqu'à ce que les saucisses soient chaudes. Laisser REPOSER, couvert, pendant 5 minutes avant de servir.

Donne 4 à 5 portions.

Côtelettes de porc au curry

- 1 boîte [10¾ oz (330g)] de crème de champignons
- 1 pomme moyenne, pelée et finement hachée (enlever le trognon)
- ½ tasse (125mL) d'oignon émincé
- ½ tasse (125mL) de raisins secs
- ¼ tasse (50mL) de crème à fouetter
- 2 à 3 c. à thé (10mL à 15mL) de poudre de curry
- ¼ c. à thé (1mL) de thym moulu
- ¼ c. à thé (1mL) de sel
- ¼ c. à thé (1mL) de poivre
- 4 côtelettes de porc de ½ po (1,25cm) d'épaisseur [1½ à 2 lb (750g à 1kg)]

1. Mélanger tous les ingrédients, sauf les côtelettes dans un bol.
2. Disposer les côtelettes dans une casserole de verre de 2 pintes (2L). Verser le mélange au curry sur la viande, couvrir et faire cuire à (intensité 10) pendant 12 à 23 minutes, ou jusqu'à ce que les côtelettes soient bien tendres. Laisser REPOSER, couvert, pendant 5 minutes avant de servir.

Donne 4 portions.

Brochettes de jambon tropicales

- 1 c. à table (15mL) de beurre ou margarine
- 1 c. à table (15mL) de jus de citron
- 1 c. à table (15mL) de cassonade
- 1 c. à table (15mL) de miel
- 1 c. à thé (5mL) de sauce soja
- ½ c. à thé (2mL) de gingembre moulu
- Une pincée de clou de girofle moulu
- ¾ lb (375g) de jambon cuit, en cubes de 1 po (2,5cm)
- 1 boîte [16 oz (500g)] de morceaux d'ananas
- 2 bananes moyennes, en tranches de 1 po (2,5cm)

1. Mélanger le beurre, le jus de citron, la cassonade, le miel, la sauce soja, le gingembre et le clou de girofle dans une mesure en verre de 2 tasses (500mL). Faire cuire à (intensité 10) pendant 1 minute, ou jusqu'à ce que la cassonade soit fondue, remuer deux fois.
2. Enfiler alternativement le jambon, l'ananas et la banane sur six brochettes de bois de 9 pouces (23cm). Placer les brochettes dans un plat rond de 10 po (25cm). Badigeonner avec la sauce au beurre. Faire cuire à (intensité 10) pendant 5 to 6 minutes, ou jusqu'à ce que le tout soit assez chaud, en tournant les brochettes et en les badigeonnant de sauce au beurre toutes les 3½ minutes.
3. Laisser REPOSER pendant 2 minutes.

Donne 4 portions.

Rôti de porc à la choucroute

- 1 boîte de 32 onces (1kg) de choucroute égouttée
- ½ tasse (125mL) d'oignon finement haché
- 1 tasse (250mL) de bouillon de poulet
- 1 feuille de laurier
- 1 c. à thé (5mL) de graines de cumin
- 1 c. à thé (5mL) de sauge écrasée à la main
- ½ c. à thé (2mL) de sucre
- ½ c. à thé (2mL) de sel
- ¼ c. à thé (1mL) de poivre
- 2½ à 3 lb (1,25-1,5kg) de rôti d'épaule de porc désossée et ficelée

1. Mettre tous les ingrédients, sauf le porc, dans une cocotte en verre de 3 pintes (3L). Ajouter le porc, côté lardé vers le bas, de sorte qu'il soit entièrement recouvert. Couvrir et mettre au four à (intensité 3) pendant 22 à 25 minutes par livre (500g).
2. Tourner le porc, et y enfoncer la sonde thermique. Mettre au four sans couvrir à (intensité 5) jusqu'à ce que la température interne de la viande atteigne 180°F. Laisser REPOSER en couvrant pendant 10 minutes avant de servir pour assurer une cuisson totale.

Donne 4 portions.

Veau au paprika

1 lb (500g) de veau désossé, en cubes de 1½ po (4cm)
2 tasses (500mL) de champignons frais tranchés
1 tasse (250mL) de bouillon de poulet
½ tasse (125mL) d'oignon émincé
1 c. à table (15mL) de paprika
¼ c. à thé (1mL) de thym moulu
½ c. à thé (2mL) de sel
¼ c. à thé (1mL) de poivre
¼ tasse (50mL) de vin blanc sec ou de sherry sec
3 c. à table (50mL) de farine
½ à 1 tasse (125mL à 500mL) de crème sure

1. Mélanger le veau, les champignons, le bouillon de poulet, l'oignon et les assaisonnements dans une casserole de verre de 3 pintes (3L). Couvrir et faire cuire à (intensité 10) pendant 5 minutes, puis à (intensité 4) pendant 29 autres minutes. Remuer deux fois. Si le veau n'est pas tendre à la fourchette, continuer la cuisson à (intensité 4) pendant encore 12 minutes.
2. Dans un petit bol mélanger le vin et la farine pour former un mélange lisse. Incorporer au veau, couvrir et faire cuire à (intensité 10) pendant 3 à 4 minutes, ou jusqu'à ce que la sauce soit épaisse. Incorporer la crème sure. Réchauffer au besoin à (intensité 4) pendant 3 à 4 minutes; remuer toutes les minutes. Ne pas amener la crème à ébullition car elle pourrait tourner.
3. Laisser REPOSER pendant 5 minutes.

Donne 4 portions.

Rôti de boeuf à la sauce au vin

1 tasse (250mL) de vin rouge
2 c. à table (25mL) d'huile (d'olive de préférence)
2 gousses d'ail écrasées ou finement hachées
½ c. à thé (2mL) de sel
⅓ c. à thé (1,5mL) de poivre
4 lb (2kg) de rôti de boeuf
2 c. à thé (10mL) de bouillon de boeuf instantané
2 c. à table (25mL) de farine
¼ tasse (50mL) de bouillon de boeuf

1. Mettre le vin, l'huile, l'ail, le sel et le poivre dans un bol profond en verre. Piquer la viande sur toute sa surface à l'aide d'une fourchette, la mettre dans le bol contenant la marinade, retourner une fois et couvrir. Laisser macérer au frais pendant au moins une heure en tournant de temps en temps.
2. Ôter le rôti de la marinade et le mettre sur un gril micro-ondes, dans un plat de cuisson, en plaçant le côté lardé vers le bas. Arroser le rôti avec le bouillon de boeuf. Réserver la marinade. Couvrir la viande de papier ciré et mettre au four à (intensité 4) pendant 41 minutes. Retourner la viande et y enfoncer la sonde thermique. Recouvrir et remettre ou four à (intensité 4) jusqu'à ce que la température interne de la viande atteigne 150°F. Couvrir le rôti d'une feuille de papier d'aluminium et laisser REPOSER 15 minutes.
3. Verser le jus de cuisson dans un verre doseur de 4 tasses (1L). Enlever le gras et, à l'aide d'une passoire, filtrer la marinade dans le jus de cuisson. Mélanger la farine et le bouillon de boeuf jusqu'à obtention d'une préparation homogène et l'ajouter au contenu du verre doseur. Mettre au four sans couvrir à (intensité 10) pendant 3 à 4 minutes ou jusqu'à ce que la sauce épaississe, en remuant une fois. Verser la sauce sur le rôti au moment de servir.

Donne 10 à 12 portions.

VOLAILLES

Canard à l'orange

VOLAILLES

Le meilleur poulet que vous mangerez est un poulet cuit au four à micro-ondes. Toutes les volailles cuites au four à micro-ondes sont succulentes et nécessitent très peu d'attention pendant la cuisson. Des volailles entières deviennent dorées, mais la cuisson au four à micro-ondes étant une cuisson humide, la peau ne devient pas croustillante. Ce problème peut être résolu en faisant cuire votre volaille au four à micro-ondes, puis en la mettant dans un four conventionnel à 450°F pendant 10 à 15 minutes. La même technique de cuisson est également commode lorsque vous faites une cuisson au barbecue: faites décongeler et précuire dans votre four à micro-ondes. Ensuite, faites cuire sur votre barbecue pour obtenir cette saveur spéciale.

Décongélation des volailles: conseils et techniques

- La volaille doit être enlevée de son emballage d'origine et placée dans un plat micro-ondes pour la décongélation. Retirez anneaux et attaches métalliques et papier d'aluminium.
- Ne décongelez que le temps nécessaire. La volaille doit être froide au centre lorsqu'on la retire du four; séparez les morceaux le plus tôt possible.
- Pour accélerer le processus de décongélation pendant le TEMPS D'ATTENTE, mettez la volaille dans l'eau froide.
- Les extrémités des ailes et des cuisses et la partie située près du bréchet peuvent commencer à cuire avant que le centre ne soit complètement décongelé. Dès que ces parties semblent être dégelées, couvrez-les avec de petites bandes de papier d'aluminium; veillez à ce que ces bandes soient à 1'' au minimum des parois du four.
- Faites cuire la volaille aussitôt qu'elle est complètement décongelée.

Cuisson des volailles au four à micro-ondes: conseils et techniques

- Assurez-vous que la volaille est complètement décongelée avant de procéder à la cuisson. Enlevez les abattis et lavez la volaille à l'eau froide; ensuite séchez.
- Disposez la volaille de façon que les morceaux les plus épais et les plus charnus soient placés vers l'extérieur du plat. Si vous faites cuire des cuisses, disposez-les dans un plat round micro-ondes, comme les rayons d'une roue.
- Il y a souvent des éclaboussures lors de la cuisson de la volaille; la peau éclate aussi fréquemment. Il est donc conseillé de couvrir le plat de papier ciré, d'une pellicule plastique ou avec le couvercle, afin d'obtenir un chauffage uniforme et protéger des éclaboussures.
- Retournez la volaille entière ou les morceaux pour obtenir une cuisson uniforme.
- Recueillez le jus qui s'écoule dans le plat. Si vous désirez, conservez-le pour faire une sauce.
- Protégez les morceaux minces ou osseux avec des bandes de papier d'aluminium, moulées sur la volaille pour empêcher la surcuisson.
- Couvrez la volaille cuite de papier d'aluminium pendant le TEMPS D'ATTENTE. La température interne s'uniformisera pendant ce temps-là. Le TEMPS D'ATTENTE doit toujours être inclus.
- Les morceaux de poulet et les poulets de Cornouailles cuisent si vite au four à micro-ondes qu'ils ne peuvent pas dorer. Utilisez un agent de brunissement ou bien cuisez-les avec une sauce.
- Pour savoir si la volaille est cuite, vérifiez la viande près de l'os. Elle doit être tendere à la fourchette et le jus doit être clair. Insérez un thermomètre dans la partie la plus charnue de la cuisse et de la poitrine. Une minute plus tard, la température indiquée devrait s'élever à 185°F. Placez la sonde dans une autre partie de la volaille et continuez la cuisson au besoin.
- Le TEMPS D'ATTENTE est important pour l'achèvement de la cuisson. Laissez reposer de 10 à 20 minutes avant de découper.

Remarque: Un poulet cuit de façon appropriée doit être tendre à la fourchette et non desséché. Le jus qui s'écoule doit être clair, sans aucune trace de rose; de même, la chair ne doit pas être rose non plus.

TABLEAU DE DÉCONGÉLATION DE LA VOLAILLE

Volaille	Quantité	Intensité	Temps de décongélation	Temps d'attente
POULET				
Entier	2½-3 lb (1,25-1,5kg)		18-24 minutes	20 minutes
En morceaux	2½-3 lb (1,25-1,5kg)		12-15 minutes	15 minutes
Poitrines (avec os)	2-3 lb (1-1,5kg)	3	8-12 minutes	20 minutes
Pilons	1 lb (500g)		7-8 minutes	10 minutes
Cuisses	1 lb (500g)		7-8 minutes	10 minutes
Ailes	1½ lb (750g)		6-10 minutes	10 minutes
POULET DE CORNOUAILLES, ENTIER	1-1½ lb (500-750g)	3	15-18 minutes	25 minutes
DINDE				
En morceaux	2-3 lb (1-1,5kg)	3	12-15 minutes	15 minutes
Poitrine (avec os)	4-5 lb (2-2,5kg)	3	16-25 minutes	20 minutes
CANARD, ENTIER	4-5 lb (2-2,5kg)	3	30-40 minutes	25 minutes

TABLEAU DE CUISSON DE LA VOLAILLE

Volaille	Quantité	Intensité	Temps de cuisson	Temps d'attente
POULET				
Entier	3-4 lb (1,5-2kg)	10	29-41 minutes	15-20 minutes
Moitié	1-1½ lb (500-750g)	10	12-14 minutes	10 minutes
En morceaux	2½-3 lb (1,25-1,5kg)	10	19-21 minutes	10 minutes
Poitrines (avec os)	2½-3 lb (1,25-1,5kg)	10	16-19 minutes	10 minutes
Pilons	2½-3 lb (1,25-1,5kg)	10	19-21 minutes	10 minutes
POULET DE CORNOUAILLES ENTIER	1-1½ lb (500-750g)	10	10-15 minutes	10 minutes
DINDE				
Entière	8-10 lb (4-5kg)	10:7	82-105 minutes	15-20 minutes
En morceaux	2-3 lb (1-1,5kg)	10:7	35-41 minutes	10 minutes
Poitrine (avec os)	4-5 lb (2-2,5kg)	10:7	47-58 minutes	10 minutes
CANARD, ENTIER	4-5 lb (2-2,5kg)	10:7	64-76 minutes	10 minutes

TABLEAU DE CUISSON DE VOLAILLE PRÉPARÉE

Volaille préparée	Quantité	Intensité	Temps de cuisson
Poulet barbecue, surgelé	Sac de 5 à 6½ oz* (150-200g)	10	3½-6 minutes
Poulet à la king, surgelé	Sac de 12 oz* (375g)	10	8-12 minutes
Croquettes de poulet, dégelées	Paquet de 12 oz (375g)	10	5-7 minutes
Poulet frit, précuit et dégelé	2 morceaux moyens	10	2½-6 minutes
Dinde tranchée avec sauce, surgelée	Sac de 12 oz* (375g)	10	9-13 minutes
Dinde tetrazzini, surgelée	Sac de 5 à 6½ oz* (150-200g)	10	3½-6 minuttes

** Fendre le sac et le placer dans un plat de cuisson avant de le mettre au four à micro-ondes.*

Poulet barbecue

Un poulet de 2½ à 3 lb (1,25kg à 1,5kg), coupé en morceaux
1 tasse (250mL) de sauce barbecue

1. Placer le poulet dans un plat de cuisson rond de 10 pouces (25cm), les parties les plus charnues et épaisses dirigées vers l'extérieur du plat. Recouvrir de papier ciré et faire cuire à (intensité 10) pendant 4 minutes. Égoutter et retourner le poulet.
2. Badigeonner la moitié de la sauce barbecue sur le poulet. Faire cuire, à découvert, à (intensité 10) pendant 6 minutes. Retourner le poulet et utiliser le reste de la sauce et continuer la cuisson à (intensité 10) pendant 5 à 8 autres minutes, ou jusqu'à ce que le poulet soit tendre. Laisser REPOSER, couvert, pendant 10 minutes avant de servir.

Donne 4 portions.

Poulet au sherry

Un poulet de 2½ à 3 lb (1,25kg à 1,5kg) coupé en morceaux
½ c. à thé (2mL) de sel
¼ c. à thé (1mL) de poivre
1 gros oignon, tranché mince
⅓ tasse (75mL) de sherry sec
1 c. à table (15mL) de sauce soja
1 c. à table (15mL) de jus de citron
1 c. à table (15mL) de farine

1. Placer les morceaux de poulet dans un plat rond de 10 po (25cm), les parties charnues et épaisses vers l'extérieur du plat. Saupoudrer de sel et de poivre et recouvrir d'oignon. Mélanger tous les autres ingrédients dans un petit bol. Verser également le mélange sur le poulet.
2. Recouvrir le poulet de papier ciré et faire cuire à (intensité 10) pendant 15 à 18½ minutes, ou jusqu'à ce que le poulet soit bien tendre. Retourner le poulet après 7 minutes de cuisson. Avant de servir, laisser REPOSER 15 minutes couvert. Remuer le liquide dans le plat jusqu'à consistance uniforme et verser sur le poulet.

Donne 4 portions.

Canard à l'orange

¼ tasse (50mL) de concentré de jus d'orange surgelé
⅓ tasse (75mL) d'eau ou de jus de fruits
1 cube de bouillon de boeuf
1 c. à table (15mL) de cassonade
¼ c. à thé (1mL) de poivre
Un canard de 4 á 5 lb (2-2,5kg)

1. Mélanger tous les ingrédients, sauf le canard, dans une mesure de verre de 2 tasses (500mL). Faire cuire, à découvert, à (intensité 10) pendant 2 à 3½ minutes, ou jusqu'à ce que le mélange soit chaud; remuer deux fois. Mettre de côté.
2. Enlever les plus gros morceaux de gras de la cavité avant du canard et percer la peau avec une fourchette. Mettre le canard, poitrine vers le bas, sur un gril pour four à micro-ondes. Faire cuire, à découvert, à (intensité 10) pendant 35 minutes. Égoutter la graisse.
3. Retourner le canard, poitrine vers le haut, et le badigeonner avec le mélange à l'orange. Faire cuire, à découvert, à (intensité 10) pendant 29 à 41 minutes, ou jusqu'à ce que la viande ne soit plus rose près des os. Badigeonner toutes les 10 minutes avec le mélange à l'orange. Laisser REPOSER, couvert, pendant 15 minutes avant de servir. Utilisez une sonde thermique ou un thermomètre à viande conçus spécialement pour four à micro-ondes pour vous assurer que la température intérieure de tout le canard soit de 185°F.

Donne 4 portions.

Dinde florentine

- 2 paquets [10 oz (300g)] d'épinards hachés dégélés et égouttés
- 2 à 3 tasses (500mL à 750mL) de dinde découpée ou tranchée mince
- ½ c. à thé (2mL) de sel
- ¼ c. à thé (1mL) de poivre
- 1 boîte [10¾ oz (330g)] de crème de champignons condensée
- 3 c. à table (50mL) de lait
- 2 c. à table (25mL) de sherry sec

1. Mettre les épinards dans une casserole de verre de 2½ pintes (2,5L) de façon à bien recouvrir le fond du plat. Recouvrir avec la dinde et assaisonner de sel et de poivre. Dans un petit bol, mélanger les autres ingrédients jusqu'à consistance lisse. Verser le mélange sur la dinde.
2. Couvrir et faire cuire à (intensité 10) pendant 9 à 12 minutes, ou jusqu'à ce que ce soit chaud. Laisser REPOSER couvert pendant 10 minutes avant de servir.

Donne 4 portions.

Coq au vin

- 5 tranches de bacon, coupé en lardons
- ¼ tasse (50mL) de farine
- 1 boîte de 10¾ oz (330g) de concentré de bouillon de boeuf
- 1 tasse (250mL) de vin rouge sec
- 1 c. à table (15mL) de pâte de tomate
- ¼ tasse (50mL) d'oignon vert haché
- 1 à 2 gousses d'ail, pressé ou haché fin
- 1 c. à table (15mL) de flocons de persil
- ½ c. à thé (2mL) de feuilles de thym séché
- 1 petite feuille de laurier
- ½ c. à thé (2mL) de sel
- ¼ c. à thé (1mL) de poivre
- 2½ à 3 livres (1,25kg à 1,5kg) de poulet, coupé en morceaux
- 2 carottes moyennes, tranchées fin
- 2 tasses (500mL) de champignons frais tranchés

1. Placer les lardons dans un plat carré de 9 pouces (23cm) allant au four. Couvrir de papier ciré. Faire cuire à (intensité 10) pendant 5 à 6 minutes ou jusqu'à ce que les lardons soit croustillants. Mélanger la farine et le gras des lardons. Ajouter le bouillon de boeuf et le vin en remuant. Ajouter tous les autres ingrédients, à l'exception des champignons.
2. Couvrir et faire cuire à (intensité 10) pendant 12 minutes, en tournant les morceaux de poulet après 7 minutes de cuisson. Ajouter les champignons. Couvrir et faire cuire à (intensité 7) pendant 12 minutes ou jusqu'à ce que le poulet soit tout à fait cuit, en remuant une fois. Laisser REPOSER, couvert, pendant 10 minutes avant de servir.

Donne 4 portions.

Poulets de Cornouailles aux fruits

- 2 poulets de Cornouailles de 1 lb (500g) chacun
- 1 tasse (250mL) de pêches tranchées en boîte, égouttées Mettre le sirop de côté
- 1 tasse (250mL) de poires tranchées en boîte, égouttées, sirop mis de côté
- 1 tasse (250mL) de bouillon de poulet corsé
- ½ tasse (125mL) du sirop de pêches ou de poires (ou combinaison)
- 2 c. à table (25mL) de jus de citron
- 2 c. à table (25mL) de fécule de maïs
- 1 c. à thé (5mL) de gingembre moulu

1. Disposer les poulets, la poitrine tournée vers le haut, dans un plat rond de 10 po (25cm). Recouvrir de papier ciré. Faire cuire à (intensité 10) pendant 16 minutes, en retournant les poulets après 8 minutes de cuisson. Égoutter et retourner encore les poulets, de sorte que leur poitrine soit tournée vers le haut.
2. Combiner les autres ingrédients dans un bol de 1½ pinte (1,5L) et bien mélanger. Verser le mélange de fruits sur les poulets. Recouvrir. Faire cuire à (intensité 10) pendant 12 à 14 minutes ou jusqu'à ce que la sauce ait épaissi et que la volaille soit bien cuite. Ne remuer qu'une fois. Laisser REPOSER couvert pendant 15 minutes avant de servir.

Donne 2 à 4 portions.

Blanc de dinde glacé au vin

- 1 poitrine de dinde de 4 à 5 lb (2kg à 2,5kg) avec os, décongelée
- ⅔ tasse (150mL) de gelée de cassis
- 3 c. à table (50mL) de madère, sherry, ou porto
- ½ c. à thé (2mL) de gingembre moulu
- ½ c. à thé (2mL) de thym moulu
- ½ c. à thé (2mL) de sel
- ¼ c. à thé (1mL) de poivre

1. Disposer les blancs de dinde la peau en dessous sur un gril micro-ondes, dans un plat à four. Mélanger les autres ingrédients dans un petit bol et battre jusqu'à rendre le mélange homogène. Badigeonner la dinde généreusement avec ce mélange.
2. Mettre au four à micro-ondes couvert, à (intensité 10) pendant 20 minutes. Tourner pour mettre la peau en dessus et badigeonner. Remettre au four micro-ondes, sans couvrir, à (intensité 10) jusqu'à ce que la température interne de la viande atteigne 185°F. Si certaines parties des blancs de dinde semblent cuire plus vite que d'autres, les protéger avec des feuilles d'aluminium. Laisser REPOSER les blancs de dinde en couvrant pendant 20 minutes avant de servir.

Donne 8 à 10 portions.

Enchiladas au poulet

- ⅔ tasse (150mL) d'oignon haché
- 2 c. à table (25mL) d'huile
- ¾ tasse (175mL) de tomate hachée
- 1 boîte de 3 oz (80g) de piment chili vert haché ou ¾ tasse (175mL) de piment chili vert haché
- 2 à 3 gousses d'ail, pressé ou haché fin
- ½ c. à thé (2mL) de sel
- 2 tasses (500mL) de poulet cuit haché
- 8 tortillas à la farine de 6 po (15cm)
- 1 avocat moyen, épluché et réduit en purée
- ½ à 1 tasse (125mL à 250mL) de cheddar râpé
- 1 bocal de 8 oz (250g) de sauce taco, réchauffée

1. Combiner l'oignon et l'huile dans un bol de verre de 1½ pinte (1,5L). Faire cuire, à découvert, à (intensité 10) pendant 6 minutes, en remuant une fois. Ajouter la tomate, le piment, l'ail et le sel. Couvrir. Faire cuire à (intensité 10) pendant 6 minutes, en remuant une fois. Égoutter si le mélange semble avoir trop d'eau. Ajouter le poulet. Couvrir et faire cuire à (intensité 10) pendant 3½ à 5 minutes ou jusqu'à ce que le poulet soit chaud.
2. Envelopper 4 tortillas dans un linge humide ou dans un essuie-tout de papier humide et faire cuire à (intensité 10) pendant une minute ou jusqu'à ce que les tortillas s'amollissent. Étaler environ ¼ tasse (50mL) de la garniture au poulet sur chaque tortilla et recouvrir d'une cuiller à table comble d'avocat réduit en purée. Rouler la tortilla. Répéter les mêmes opérations avec les autres tortillas. Disposer les tortillas garnies, joint vers le bas dans un plat rond de 10 po (25cm).
3. Saupoudrer les tortillas de fromage. Faire cuire, à découvert, à (intensité 10) pendant 4 à 5 minutes ou jusqu'à ce que les enchiladas soient bien chaudes. Servir avec le reste de purée d'avocat et avec la sauce taco réchauffée.

Donne 4 à 8 portions.

POISSONS ET FRUITS DE MER

Red Snapper à la meunière

POISSONS ET FRUITS DE MER

Le poisson et les fruits de mer préparés au four à micro-ondes sont excellents. Leur forte teneur naturelle en eau permet de les faire cuire rapidement. En quelques minutes, vos poissons et fruits de mer sont savoureux, fermes et juteux.

Décongélation du poisson et des fruits de mer: conseils et techniques

- Enlevez le poisson de l'emballage et mettez-le dans un plat micro-ondes.
- Décongelez après avoir enlevé tout objet métallique.
- Pour éviter la cuisson, réglez au temps minimal. Laissez reposer 5 à 10 minutes pour terminer la décongélation.
- Terminez la décongélation en séparant les filets sous l'eau froide.
- Faites cuire aussitôt le poisson décongelé.

TABLEAU DE DÉCONGÉLATION POUR LE POISSON ET LES FRUITS DE MER

Poisson	Intensité	Quantité	Temps de décongélation	Temps d'attente
Filets de poisson	3	1 livre (500g)	5 à 7 minutes	5 minutes
Tranches de poisson	3	1 livre (500g)	5 à 7 minutes	5 minutes
Poisson entier	3	1½ à 2 livres (750g à 1kg)	5 à 7 minutes	5 minutes
Queues de homard	3	1 livre (500g)	8 à 10 minutes	5 minutes
Pétoncles	3	1 livre (500g)	5 à 6 minutes	5 minutes
Crevettes	3	1 livre (500g)	3 à 4 minutes	5 minutes
Huîtres	3	Contenant de 12 oz (375g)	3 à 4 minutes	5 minutes

Cuisson au four à micro-ondes du poisson et des fruits de mer: conseils et techniques

- Avant la cuisson, faites décongeler à fond le poisson et les fruits de mer.
- Sous-estimez toujours le temps de cuisson. Le poisson cuit bien plus vite que vous ne le pensez. Une fois qu'il est trop cuit, il est sec et prend la consistance du caoutchouc. Le poisson est prêt quand il devient opaque et que sa partie la plus épaisse se détache facilement. Les crustacés sont prêts quand ils viennent de passer du rose au rouge et que leur chair est raffermie.
- Disposez les pièces de sorte que les parties les plus épaisses soient tournées vers l'extérieur du plat.
- Pour faire cuire au four à micro-ondes du poisson enrobé et en sauce, laissez-le à découvert ou légèrement recouvert de papier ciré ou d'une pellicute plastique. Cela permet à la panure de ne pas s'amollir et à la sauce de ne pas devenir trop liquide.
- Vérifiez souvent pendant la cuisson pour éviter la surcuisson.

TABLEAU DE CUISSON DU POISSON ET DES FRUITS DE MER

Poisson	Quantité	Intensité	Temps de cuisson	Temps d'attente
Filets de poisson	1 livre (500g) 2 livres (1kg)	10 10	3½ à 6½ minutes 7 à 9 minutes	3 à 5 minutes 3 à 5 minutes
Tranches de poisson	1 livre (500g)	10	5 à 6 minutes	5 à 6 minutes
Poisson entier	1½ à 2 livres (750g à 1kg)	10	5 à 8 minutes	3 à 5 minutes
Queues de homard	1 livre (500g)	10	4½ à 7 minutes	3 à 4 minutes
Pétoncles	1 livre (500g)	7	4½ à 7 minutes	1 à 2 minutes
Crevettes	1 livre (500g)	7	4½ minutes	1 à 2 minutes

- La méthode et le temps sont les mêmes pour les fruits de mer avec ou sans coquille.

Filets de poisson pochés

- 4 filets de poisson [1 à 1¼ lb (500g à 625g) en tout]
- ½ tasse (125mL) de vin blanc sec ou de jus de tomates
- 3 c. à table (50mL) de beurre
- 2 c. à table (25mL) d'échalote émincée
- ¼ c. à thé (1mL) de sel
- ¼ c. à thé (1mL) de poivre

1. Plier les filets en deux et disposer dans un plat de cuisson petit et peu profond, les parties les plus épaisses du poisson vers l'extérieur du plat. Verser le vin sur le poisson. Mettre les morceaux de beurre et saupoudrer avec l'échalote, le sel et le poivre. Couvrir.
2. Faire cuire à (intensité 10) pendant 4½ à 7 minutes, ou jusqu'à ce que le poisson se défasse facilement à la fourchette. Laisser REPOSER couvert pendant 3 à 5 minutes, ou jusqu'à ce que le poisson devienne blanc et ferme.

Donne 4 portions.

Vivaneau meunière

- ½ tasse (125mL) de beurre
- ¼ tasse (50mL) de persil haché fin
- 1 c. à table (15mL) de jus de citron
- 2½ à 3 lb (1,25kg à 1,5kg) de vivaneau entier ou préparé

1. Dans un plat rond de 10 po (25cm), mélanger le beurre, le persil et le jus de citron. Faire cuire, à découvert, à (intensité 10) pendant 1 à 2 minutes, ou jusqu'à ce que le beurre soit fondu. Bien remuer pour mélanger les ingrédients.
2. Placer le poisson dans le plat en le retournant pour recouvrir les deux côtés de beurre. Recouvrir de papier ciré et faire cuire à (intensité 9) pendant 9 à 12 minutes, en retournant le poisson avec une grande cuillère au bout de 5 minutes de cuisson. Le poisson est cuit lorsque la chair se détache facilement des arêtes à l'aide d'une fourchette. Laisser REPOSER 3 à 5 minutes couvert avant de servir.

Donne 3 à 4 portions.

Fruits de mer à la Newburg

- 1 boîte [10¾ oz (330g)] de crème de champignons condensée
- 1 paquet [10 oz (300g)] de pois dégelés
- 1 pot [2½ oz (70g)] de champignons, égouttés
- 2 c. à table (25mL) d'oignon finement émincé
- ¼ tasse (50mL) de lait ou crème moitié/moitié
- Une bonne pincée de poivre de cayenne
- ¼ c. à thé (1mL) de sel
- ¼ c. à thé (1mL) de poivre
- 1 lb (500g) de fruits de mer cuits, coupés en bouchées
- 2 à 3 c. à table (25mL à 50mL) de sherry

1. Mélanger tous les ingrédients, sauf les fruits de mer et le sherry, dans une casserole de verre de 1½ pinte (1,5L). Bien mélanger. Recouvrir et faire cuire à (intensité 10) pendant 4½ à 6 minutes, ou jusqu'à ce que le tout soit chaud; remuer une fois.
2. Ajouter les fruits de mer et le sherry à la sauce aux champignons. Couvrir et faire cuire à (intensité 10) pendant 6 à 7 minutes, ou jusqu'à ce que le tout soit bien chaud; remuer une fois. Laisser REPOSER, couvert, pendant 5 minutes avant de servir.

Donne 3 à 4 portions.

Crevettes frites

- ½ tasse (125mL) de beurre ou de margarine
- 3 à 6 gousses d'ail pressées ou émincées
- 2 c. à table (25mL) de jus de citron
- 2 c. à table (25mL) de flocons de persil séchés
- ½ c. à thé (2mL) de sel
- ¼ c. à thé (1mL) de poivre
- 1 lb (500g) de crevettes épluchées

1. Dans un plat de cuisson peu profond, mélanger tous les ingrédients, sauf les crevettes. Faire cuire, à découvert, à (intensité 10) pendant 3½ à 5 minutes, ou jusqu'à ce que le tout soit chaud; remuer deux fois.
2. Incorporer les crevettes à la sauce au beurre. Couvrir et faire cuire à (intensité 10) pendant 4 à 6 minutes ou jusqu'à ce que les crevettes deviennent opaques. Laisser REPOSER de 3 à 5 minutes, couvert, avant de servir.

Donne 4 portions.

Truite aux amandes

- ½ tasse (125mL) de beurre
- ½ à ⅔ tasse (125mL à 150mL) d'amandes effilées
- 2 truites entières nettoyées [d'environ 12 oz (375g) chacune]
- 2 c. à table (25mL) de jus de citron
- ¼ c. à thé (1mL) de sel
- ¼ c. à thé (1mL) de poivre

1. Mélanger le beurre et les amandes dans une mesure de 2 tasses (500mL). Faire cuire, à découvert, à (intensité 10) pendant 3½ à 6 minutes, ou jusqu'à ce que les amandes soient légèrement brunies; remuer deux fois.
2. Assaisonner les truites avec le jus de citron, le sel et le poivre. Les disposer dans un plat rond de 10 po (25cm). Verser le mélange de beurre sur les truites et à l'intérieur des cavités. Recouvrir de papier ciré. Faire cuire à (intensité 10) pendant 6 à 8 minutes, ou jusqu'à ce que le poisson se défasse aisément. Laisser REPOSER 5 minutes couvert avant de servir.

Donne 2 portions.

Flétan au brocoli

- 1 lb (500g) de filets de flétan
- 1 paquet [10 oz (300g)] de pointes de brocoli dégelé
- 1 boîte [10¾ oz (330g)] de crème de crevettes
- 2 c. à thé (10mL) de jus de citron
- ¼ c. à thé (1mL) de sel
- ¼ c. à thé (1mL) de poivre blanc

1. Placer le poisson dans un plat rond de 10 po (25cm), les parties épaisses vers l'extérieur du plat. Déposer les pointes de brocoli, les fleurs vers l'extérieur, sur le poisson. Recouvrir de papier ciré et faire cuire, à (intensité 10) pendant 9 à 12 minutes, ou jusqu'à ce que les filets soient tendres, et les brocolis légèrement croquants. Laisser REPOSER, couvert, pendant 3 minutes.
2. Dans une mesure en verre de 4 tasses (1L), mélanger tous les autres ingrédients. Après les 3 minutes d'attente, recueillir le jus et le verser dans la sauce. Faire cuire la sauce à (intensité 10) pendant 3½ à 5 minutes, ou jusqu'à ce que le tout soit chaud; remuer deux fois. Incorporer à la sauce le reste du liquide provenant du poisson. Retourner le poisson sur un plateau de service et l'arroser avec la sauce.

Donne 4 portions.

Palourdes farcies

- 3 c. à table (50mL) d'huile d'olive
- 3 tranches de bacon coupées
- ¼ tasse (50mL) d'oignon émincé
- ⅔ tasse (150mL) de chapelure fine
- 2 à 3 c. à table (25mL à 50mL) de persil émincé
- 1 à 2 gousses d'ail pressées ou émincées
- ¼ c. à thé (1mL) de thym moulu
- ¼ c. à thé (1mL) de paprika
- Une bonne pincée de poivre de cayenne
- ¼ c. à thé (1mL) de sel
- ¼ c. à thé (1mL) de poivre
- 18 petites palourdes nettoyées, ouvertes et chacune dans une demi-coquille

1. Mélanger l'huile d'olive, le bacon et l'oignon dans une casserole de verre de 1 pinte (1L). Faire cuire, à découvert, à (intensité 10) pendant 3½ à 6 minutes, ou jusqu'à ce que le bacon soit croustillant. Ajouter tous les autres ingrédients, sauf les palourdes, et bien mélanger.
2. Disposer les palourdes sur le pourtour d'une assiette en verre de 10 po (25cm). Percer chaque palourde plusieurs fois à l'aide d'un cure-dent. Recouvrir les palourdes du mélange de chapelure. Faire cuire, à découvert, à (intensité 5) pendant 6 à 7 minutes, ou jusqu'à ce que les palourdes soient cuites.
3. Laisser REPOSER pendant 2 minutes.

Donne 3 à 4 portions.

Quiche au saumon

- 3 oeufs
- ⅔ tasse (150mL) de lait
- 15 à 16 oz (470g à 500g) de saumon en boîte égoutté
- 1 boîte [4 oz (125g)] de champignons égouttés
- 2 c. à table (25mL) d'échalote émincée
- 2 c. à table (25mL) de persil émincé
- 1 tasse (250mL) de fromage Cheddar râpé
- Une bonne pincée de poivre de cayenne
- ½ c. à thé (2mL) de sel
- 1 abaisse de 9 po (23cm) dans un moule en verre, cuite

1. Dans un petit bol battre les oeufs et le lait ensemble jusqu'à mélange homogène. Ajouter le saumon, en le défaisant légèrement avec une fourchette. Incorporer lentement les autres ingrédients en remuant. Verser le mélange dans l'abaisse en s'assurant que les morceaux solides soient uniformément répartis sur le fond de la tarte.
2. Faire cuire, à découvert, à (intensité 7) pendant 19 à 20 minutes. Laisser REPOSER 5 à 10 minutes, ou jusqu'à ce que le centre de la tarte devienne ferme.

Donne 4 à 6 portions.

LÉGUMES

Haricots verts aux amandes

LÉGUMES

Les légumes cuits au four à micro-ondes sont délicieux! Ils conservent leur couleur naturelle, leur goût de fraîcheur et leur texture croquante.

Parce que les légumes ont une forte teneur en humidité naturelle, n'ajoutez que 2 à 4 cuillers à table (25mL à 65mL) d'eau. Même les légumes réchauffés convervent leur saveur et leur couleur d'origine. Si vous avez un jardin ou si vous avez des légumes frais en abondance, pensez au four à micro-ondes. Le blanchiment des légumes à surgeler est beaucoup plus facile au four à micro-ondes!

Cuisson des légumes au four à micro-ondes: conseils et techniques

- Percez les peaux des pommes de terre entières, des patates douces et des courges d'hiver etc. avant de les faire cuire. La vapeur peut ainsi s'échapper et empêcher qu'elles n'éclatent dans le four. Disposez ces légumes entiers en cercle, en les espaçant.
- Les légumes frais doivent être cuits dans une casserole de verre couverte ou dans un plat à rôtir. Ajoutez 2 cuillers à table (25mL) d'eau par livre (500g) de légumes.
- Les brocolis et les asperges doivent être disposés en mettant les tiges les plus dures vers l'extérieur du plat.
- Vous pouvez faire cuire les légumes surgelés dans leur carton d'origine ou bien dans un sac de cuisson en plastique. Les légumes emballés dans du carton doivent être posés sur une double épaisseur de serviette de papier qui absorbera toute l'humidité. Les sacs de cuisson doivent être ouverts pour laisser la vapeur s'échapper. Vérifiez la cuisson chaque minute.
- La plupart des légumes doivent reposer pendant 3 à 5 minutes pour terminer la cuisson.
- Salez les légumes après la cuisson. Ceci empêche les légumes de sécher.
- Vérifiez le tableau des temps de cuisson et de repos des légumes.

Blanchiment des légumes

Préparez les légumes comme vous le feriez pour une cuisson normale. Pesez 1 livre (500g) de légumes et placez-les dans une casserole de 1 à 1½ pinte (1L à 1,5L). Ajoutez ¼ à ½ tasse (50mL à 125mL) d'eau. Couvrez et faites cuire à l'intensité 10 pendant 3 à 6 minutes. Le temps de blanchiment correspond à environ ¼ du temps de cuisson normale. Les légumes doivent conserver une couleur claire uniforme. Plongez-les immédiatement dans l'eau glacée pour éviter toute cuisson supplémentaire. Essuyez-les avec des serviettes de papier pour absorber l'excès d'humidité. Emballez-les et faites-les congeler.

Haricots verts aux amandes

- ⅓ tasse (75mL) d'amandes tranchées ou effilées
- ¼ tasse (50mL) de beurre ou de margarine
- 1½ lb (750g) d'haricots verts frais, coupés en deux
- ⅓ tasse (75mL) d'eau
- 1 c. à thé (5mL) de jus de citron
- ½ c. à thé (2mL) de sel
- ¼ c. à thé (1mL) de poivre

1. Mélanger les amandes et le beurre dans une mesure en verre de 2 tasses (500mL). Faire cuire, à découvert, à (intensité 10) pendant 3½ à 6 minutes, ou jusqu'à ce que les amandes soient légèrement rôties. Mettre de côté.
2. Verser les haricots et l'eau dans une casserole en verre de 2 pintes (2L), couvrir et faire cuire à (intensité 10) pendant 9 à 12 minutes, ou jusqu'à ce que les haricots soient à point. Égoutter. Mélanger les haricots avec le beurre aux amandes mis de côté ainsi qu'avec tous les autres ingrédients.

Donne 4 à 6 portions.

TABLEAU DE CUISSON DES LÉGUMES

Légume	Préparation	Quantité	Temps de cuisson intensité 10	Temps d'attente
Artichauts, frais	Entiers	4 [8 oz (250g) ch.]	9-11 minutes	5 minutes
Artichauts, surgelés	Coeurs	Paquet 9 oz (270g)	6-7 minutes	5 minutes
Asperges, fraîches	Morceaux 1 1/2 po (4cm)	1 lb (500g)	5-6 minutes	3 minutes
Asperges, surgelées	Pointes entiers	Paquet 10 oz (300g)	5-7 minutes	3 minutes
Haricots verts ou jaunes, frais	Morceaux 1 1/2 po (4cm)	1 lb (500g)	7-9 minutes	–
Haricots verts ou jaunes, surgelés	Coupés	Paquet de 9 oz (270g)	4-6 minutes	3 minutes
Betteraves, fraîches	En tranches	1 1/2-2 lb (750g-1kg)	13-15 minutes	5 minutes
Brocoli, frais	Pointes	1 lb (500g)	4-6 minutes	–
Brocoli, surgelé	Entier ou coupé	Paquet de 10 oz (300g)	4-6 minutes	3 minutes
Choux de Bruxelles frais	Entiers	Paquet 10 oz (300g)	4-6 minutes	–
Choux de Bruxelles surgelés	Entiers	Paquet 10 oz (300g)	4-6 minutes	3 minutes
Chou, frais	Haché	1 lb (500g)	5-7 minutes	5 minutes
	Quartiers	1 lb (500g)	5-7 minutes	5 minutes
Carottes, fraîches	Tranches 1/2 po (1,25cm)	1 lb (500g)	4-6 minutes	3 minutes
Carottes, surgelées	Tranchées	Paquet 10 oz (300g)	4-6 minutes	3 minutes
Chou-fleur, frais	Fleurettes	1 tête moyenne	3-4 minutes	3 minutes
	Entier	1 tête moyenne	5-6 minutes	5 minutes
Chou-fleur, surgelé	Fleurettes	Paquet 10 oz (300g)	3-4 minutes	3 minutes
Céleri, frais	Tranches 1/2 po (1,25cm)	1 lb (500g)	6-7 minutes	5 minutes
Maïs, frais	En épi, épluché	4 épis	8-10 minutes	5 minutes
Maïs, surgelé	En épi, épluché	4 épis	9-10 minutes	5 minutes
	Entier, en grains	Paquet 10 oz (300g)	3-4 minutes	3 minutes
Aubergines, fraîches	En cubes	1 lb (500g)	3-4 minutes	5 minutes
	Entiers, percées	1-1 1/4 lb (500-625g)	4-7 minutes	5 minutes
Poireaux, frais	Entiers, pointes	1 lb (500g)	7-10 minutes	5 minutes
Fèves de lima, surgelées	Entiers	Paquet 10 oz (300g)	4-6 minutes	3 minutes
Macédoine, surgelée		Paquet 10 oz (300g)	6-7 minutes	3 minutes
Champignons, frais	Tranchés	1 lb (500g)	3-5 minutes	3 minutes
Gombos surgelés	Tranchés	Paquet 10 oz (300g)	7-8 minutes	5 minutes
Oignon, frais	Entier, pelé	9-10 petits	10-13 minutes	5 minutes
Pois, frais	Écossés	1 lb (500g)	4-6 minutes	–
Pois, surgelés	Écossés	Paquet 10 oz (300g)	4-6 minutes	3 minutes
Pois mange-tout, surgelés	Entiers	Paquet 6 oz (170g)	3-4 minutes	3 minutes
Pois et carottes	–	Paquet 10 oz (300g)	4-6 minutes	3 minutes
Pois yeux noirs, surgelés	Entiers	Paquet de 10 oz (300g)	7-8 minutes	5 minutes
Panais, frais	En cubes	1 lb (500g)	4-6 minutes	5 minutes
Pommes de terre, blanches ou patates douces, fraîches	Entiers	4 [6 oz (170gO ch.]	9-11 minutes	3 minutes
Rutabaga, frais	En chbes	4 tasses (1L)	12-13 minutes	5 minutes
Épinards, frais	En feuilles	1 lb (500g)	4-6 minutes	–
Épinards, surgelés	En feuilles ou hachés	Paquet 10 oz (300g)	6-7 minutes	3 minutes
Courge d'éré, fraîche	Tranches 1/2 po (1,25cm)	1 lb (500g)	5-7 minutes	3 minutes
Courge d'été surgelée	Tranchée	Paquet 10 oz (300g)	4-6 minutes	3 minutes
Courge d'hiver, fraîche	Entier, percée	1 1/2 (750g)	12-13 minutes	5 minutes
Courge d'hiver, surgelée	En purée	Paquet 12 oz (375g)	6-7 minutes	3 minutes
Purée de maïs et fèves, surgelée	–	Paquet 10 oz (300g)	4-6 minutes	3 minutes
Navets, frais	En cubes	4 tasses (1L)	10-12 minutes	3 minutes

Épinards à la crème

- 2 paquets [10 oz (300g) chacun] d'épinards hachés dégelés et bien égouttés
- 2 c. à table (25mL) de beurre
- 2 c. à table (25mL) d'échalote émincée
- 1½ c. à table (20mL) de farine
- 1 tasse (250mL) de crème à fouetter
- ⅓ c. à thé (1,5mL) de muscade moulue
- ½ c. à thé (2mL) de sel
- ¼ c. à thé (1mL) de poivre

1. Mélanger les épinards, le beurre et l'échalote dans une casserole de verre de 1½ pinte (1,5L). Couvrir et faire cuire à (intensité 10) pendant 5 minutes, ou jusqu'à ce que les épinards soient très chauds; remuer deux fois.
2. Incorporer la farine aux épinards en remuant jusqu'à consistance lisse. Incorporer les autres ingrédients. Faire cuire, à découvert, à (intensité 7) pendant 4½ à 6 minutes, ou jusqu'à ébullition et épaississement du mélange; remuer deux fois. Laisser REPOSER, couvert, pendant 5 minutes avant de servir.

Donne 4 à 6 portions.

Purée de pommes de terre

- 2 lb (1kg) de pommes de terre, épluchées et coupées en quartiers
- 3 c. à table (50mL) d'eau
- ⅔ tasse (150mL) de crème moitié-moitié ou de lait
- ¼ tasse (50mL) de beurre ou de margarine
- ½ à ¾ c. à thé (2mL à 3mL) de sel
- ¼ c. à thé (1mL) de poivre blanc

1. Placer les pommes de terre dans un bol de verre de 2 pintes (2L). Ajouter l'eau. Couvrir. Faire cuire à (intensité 10) pendant 9 à 11 minutes, ou jusqu'à ce que les pommes de terre soient tendres, en remuant deux fois. Laisser REPOSER, couvert, pendant 5 minutes. Égoutter le liquide. Battre au batteur électrique. Couvrir et mettre de côté.
2. Chauffer tous les autres ingrédients dans une mesure de verre de 2 tasses (500mL) et ce, à découvert, à (intensité 10) pendant 2 à 3½ minutes. Verser peu à peu le mélange dans les pommes de terre, tout en les battant au batteur électrique jusqu'à obtention d'une consistance lisse. Si nécessaire, réchauffer la purée en la couvrant et en la mettant au four à micro-ondes, à (intensité 10) pendant 2 à 3½ minutes.

Donne 6 portions.

Asperges au parmesan

- 2 paquets [10 oz (300g) chacun] d'asperges surgelées
- 3 c. à table (50mL) de beurre ou de margarine
- ⅔ tasse (150mL) de parmesan râpé
- ¼ c. à thé (1mL) de poivre

1. Mettre les asperges dans une casserole en verre de 2 pintes (2L). Couvrir et faire cuire à (intensité 10) pendant 10 à 12 minutes, ou jusqu'à ce que les asperges soient tendres; séparer les asperges; bien les égoutter.
2. Mettre les morceaux de beurre sur les asperges et pencher doucement le plat de façon à recouvrir les asperges de beurre. Saupoudrer de parmesan et de poivre. Faire cuire, à découvert, à (intensité 7) pendant 3½ minutes. Laisser REPOSER 2 à 3 minutes avant de servir.

Donne 4 à 6 portions.

Brocoli avec sauce aux oeufs

2 paquets [10 oz (300g) chacun] de brocoli haché dégelé et bien égoutté
1 boîte [10¾ oz (330g)] de crème de champignons condensée
4 oeufs durs, hachés
¼ tasse (50mL) de crème à fouetter
1 c. à table (15mL) de sherry (facultatif)
Une bonne pincée de muscade moulue
Une bonne pincée de poivre de cayenne
¼ c. à thé (1mL) de sel
¼ c. à thé (1mL) de poivre blanc
½ tasse (125mL) de fromage suisse râpé
⅓ tasse (75mL) de chapelure fine
2 c. à table (25mL) de beurre

1. Mélanger le brocoli et la soupe dans une casserole de verre de 2 pintes (2L). Remuer doucement en ajoutant les oeufs, la crème, le sherry et les assaisonnements. Couvrir et faire cuire à (intensité 10) pendant 10 à 12 minutes, ou jusqu'à ce que le tout soit chaud; remuer deux fois.
2. Recouvrir le mélange avec le fromage, la chapelure et les morceaux de beurre. Faire cuire, à découvert, à (intensité 10) pendant 2 à 3 minutes. Laisser REPOSER 2 à 3 minutes avant de servir.

Donne 6 portions.

Chou-fleur à la moutarde

1 chou-fleur moyen
⅓ tasse (75mL) d'eau
½ tasse (125mL) de mayonnaise
1 c. à table (15mL) d'oignon émincé.
2 c. à thé (10mL) de moutarde préparée
¼ c. à thé (1mL) de sel
⅔ tasse (150mL) de fromage cheddar ou suisse râpé
¼ c. à thé (1mL) de paprika (facultatif)

1. Mettre le chou-fleur dans une casserole profonde et ajouter l'eau. Couvrir et faire cuire à (intensité 10) pendant 7 à 8 minutes, ou jusqu'à ce que le chou-fleur soit tendre. Égoutter.
2. Mélanger tous les autres ingrédients, sauf le fromage et le paprika. Verser le mélange sur le chou-fleur puis saupoudrer le fromage et le paprika. Faire cuire, à découvert, à (intensité 7) pendant 2 à 3½ minutes, ou jusqu'à ce que le fromage soit fondu.
3. Couvrir et laisser REPOSER pendant 2 à 3 minutes.

Donne 6 portions.

Céleri braisé

8 branches de céleri, en longueurs de 3 po (7,5cm)
1½ tasse (375mL) de champignons frais tranchés
½ tasse (125mL) d'oignon haché
1 boîte [10¾ oz (330g)] de bouillon de boeuf condensé
2 c. à table (25mL) de beurre
1 c. à table (15mL) de flocons de persil séchés
½ c. à thé (2mL) de feuilles de thym entières
¼ c. à thé (1mL) de poivre
2 c. à table (25mL) de vin blanc ou d'eau
1 c. à table (10mL) de fécule de maïs

1. Mettre tous les ingrédients, sauf la fécule de maïs et le vin blanc, dans une casserole de verre de 2 pintes (2L). Couvrir et régler le four à (intensité 10) pour 5 minutes, puis à (intensité 7) pour 23 minutes. Remuer à l'occasion.
2. Mélanger le vin blanc et la fécule de maïs. Incorporer le mélange au céleri. Faire cuire, à découvert à (intensité 10) pendant 1 à 2 minutes, ou jusqu'à ce que la sauce soit épaisse; remuer une fois.

Donne 4 portions.

Zucchini en casserole

- 6 tranches de bacon
- 1 tasse (250mL) d'oignon haché
- 4 zucchinis moyens en tranches de ½ po (1,25cm) [environ 1½ lb (750g)]
- 1 tasse (250mL) de sauce tomate épaisse
- 1 gousse d'ail pressé ou emincé
- ½ c. à thé (2mL) d'origan
- ½ c. à thé (2mL) de sel
- ¼ c. à thé (1mL) de poivre
- 1 tasse (250mL) de fromage mozzarella râpé

1. Placer le bacon en une seule couche dans un plat rond de 10 po (25cm). Faire cuire, à découvert, à (intensité 10) pendant 5 à 6 minutes, ou jusqu'à ce que le bacon soit croustillant. Enlever le bacon et l'émietter. Ajouter l'oignon au gras de bacon et faire cuire, à découvert, à (intensité 10) pendant 5 minutes, ou jusqu'à ce que l'oignon soit presque tendre; remuer deux fois. Incorporer le bacon émietté.
2. Ajouter tous les autres ingrédients, sauf le fromage, et bien mélanger. Couvrir et faire cuire à (intensité 10) pendant 8 à 10½ minutes, ou jusqu'à ce que le zucchini soit tendre; remuer deux fois.
3. Saupoudrer de fromage mozzarella. Couvrir et laisser REPOSER 5 minutes avant de servir.

Donne 4 portions.

PÂTES, RIZ ET CÉRÉALES

Lasagne

PÂTES, RIZ ET CÉRÉALES

En général, on n'économise pas de temps quand on fait cuire au four à micro-ondes les pâtes, le riz ou les céréales. Toutefois, cela vaut la peine de le faire, car on peut faire cuire les aliments dans le plat de service même. En outre, il y a nettement moins besoin de remuer les aliments. Quand on fait réchauffer des restes de pâtes au four à micro-ondes, ils ont le goût de pâtes fraîchement cuites.

Cuisson au four à micro-ondes des pâtes, du riz et des céréales: conseils et techniques

Si les pâtes, le riz ou les céréales doivent servir pour un ragoût, ne les faites pas tout à fait cuire. Ces aliments resteront fermes.
Les pâtes ne colleront pas si vous ajoutez une cuiller à thé (5mL) d'huile au début de la cuisson.

TABLEAU DE CUISSON DU RIZ

Type de riz	Quantité	Eau	Temps à (intensité 10)	Temps à (intensité 5)
À long grain	1 tasse (250mL)	2 1/4 tasses (563mL)	5 à 7 minutes	15 minutes
Brun	1 tasse (250mL)	2 1/2 tasses (625mL)	6 à 8 minutes	34 à 44 minutes
Mélange long grain et riz sauvage	Paquet de 6 oz (170g)	2 1/3 tasses (583mL)	6 à 8 minutes	19 minutes
À cuisson rapide	1 tasse (250mL)	1 tasse (250mL)	2 à 3 minutes	Pas nécessaire

- À de l'eau chaude du robinet ajoutez du sel et de l'huile. Mélangez.
- Couvrez d'une feuille de plastique ou d'un couvercle de casserole.
- Faites cuire à (intensité 10) jusqu'à ébullition.
- Incorporez, en remuant, le riz et l'assaisonnement; couvrez et faites cuire tous les types de riz (à l'exception du riz à cuisson rapide) à (intensité 6) pendant le temps indiqué dans le tableau ou jusqu'à ce que le riz soit tendre. Remuez une ou deux fois.
- Laissez REPOSER pendant 5 minutes, en remuant le riz à la fourchette.
- Il suffit de remuer le riz à cuisson rapide dans l'eau chaude et de le laisser REPOSER pendant 5 minutes. Une fois cuit, remuez-le de nouveau avec une fourchette.

TABLEAU DE CUISSON DES PÂTES

Type de pâtes	Quantité	Eau	Temps à (intensité 10)	Temps à (intensité 6)
Spaghetti	8 onces (250g)	4 tasses (1L)	8 à 9 minutes	7 à 9 1/2 minutes
Macaroni	2 tasses (500mL)	3 tasses (750mL)	7 à 8 minutes	8 1/2 à 10 1/2 minutes
Lasagne-nouilles	8 onces (250g)	6 tasses (1,5L)	9 à 12 minutes	12 à 14 minutes
Nouilles aux oeufs	4 tasses (1L)	6 tasses (1,5L)	9 à 12 minutes	12 à 14 minutes

- À l'eau ajoutez 1 cuiller à table (15mL) d'huile et 1 ou 2 cuillers à thé (5mL ou 10mL) de sel dans une casserole de 3 pintes (3L). Mélangez.
- Amenez l'eau à ébullition à (intensité 10). Incorporez les pâtes en remuant. Vous devrez peut-être casser les spaghetti en deux pour les faire entrer dans la casserole. Couvrez.
- Faites cuire à l'intensité indiquée dans le tableau jusqu'à ce que les pâtes soient cuites. Remuez-les deux fois pendant la cuisson. Égoutez-les dans une passoire et rincez-les à l'eau chaude.

Riz pilaf

- 1 tasse (250mL) de riz à long grain
- 1/3 tasse (75mL) de beurre ou de margarine
- 1/4 tasse (50mL) d'oignon émincé
- 1/4 tasse (50mL) de céleri émincé
- 2 1/4 tasses (550mL) de bouillon de poulet
- 1 petite feuille de laurier
- 1/3 c. à thé (1,5mL) de thym moulu
- 1/4 c. à thé (1mL) de sel
- 1/4 c. à thé (1mL) de poivre

1. Mélanger le riz et le beurre dans une casserole de verre de 2 pintes (2L). Faire cuire, à découvert, à (intensité 10) pendant 6 à 7 minutes, ou jusqu'à ce que le riz commence à brunir; remuer toutes les minutes. Ajouter l'oignon et le céleri, Faire cuire, à découvert, à (intensité 10) pendant 2 à 3½ minutes de plus, ou jusqu'à ce que les légumes aient ramolli.
2. Incorporer les autres ingrédients. Couvrir et régler le four à (intensité 10) pour 6 minutes, puis à (intensité 4) pour 14 minutes. Remuer deux fois pendant la cuisson. Laisser le riz REPOSER couvert, pendant 5 minutes avant de servir.

Donne 6 portions.

Gruau aux fruits

- 4 tasses (1L) d'eau chaude
- 2 tasses (500mL) de gruau-minute
- 2/3 tasse (150mL) d'abricots séchés ou de raisins secs hachés
- 1/4 tasse (50mL) de cassonade
- 1/4 c. à thé (1mL) de sel
- 1 c. à table (15mL) de beurre
- 1 c. à thé (5mL) de canelle moulue
- 1/3 c. à thé (1,5mL) de muscade moulue
- 1/3 c. à thé (1,5mL) de gingembre moulu
- Une pincée de clou de girofle moulu ou de poivre de la Jamaïque

1. Mélanger l'eau, le gruau, les fruits, la cassonade et le sel dans une casserole de 2 pintes (2L). Couvrir et faire cuire à (intensité 10) pendant 5 à 6 minutes, ou jusqu'à ébullition et épaississement du gruau; remuer deux fois.
2. Ajouter les autres ingrédients et bien mélanger. Couvrir et laisser REPOSER 3 minutes avant de servir.

Donne 4 portions.

Macaroni au fromage

- 1/2 lb (250g) de macaroni en coudes non cuit
- 2 tasses (500mL) d'eau chaude
- 3 c. à table (50mL) de beurre ou de margarine
- 1/2 tasse (125mL) d'oignon émincé
- 1/4 c. à thé (1mL) de sel
- 1/4 c. à thé (1mL) de poivre
- 2 1/4 tasses (550mL) de lait
- 12 oz (375g) de fromage coupé en cubes [environ 3 tasses (750mL)]
- 1 1/3 tasses (325mL) de farine

1. Mélanger le macaroni, l'eau, le beurre l'oignon, le sel et le poivre dans une casserole de 2 pintes (2L). Couvrir et faire cuire au four à (intensité 10) pendant 6 minutes puis à (intensité 5) pendant 5 minutes. Remuer deux fois pendant la cuisson.
2. Incorporer les autres ingrédients. Couvrir et faire cuire à (intensité 10) pendant 14 à 17½ minutes, ou jusqu'à ce que le macaroni soit tendre et jusqu'à ébullition et épaississement de la sauce; remuer toutes les 3 minutes.

Donne 4 portions.

Lasagne

- 1 lb (500g) de boeuf haché
- ¾ lb (375g) de chair à saucisse
- 1 boîte [16 oz (500g)] de sauce tomate
- 1 boîte [4 oz (125g)] de morceaux de champignons, égouttés
- 2 c. à thé (10mL) d'origan ou de basilic séché
- 2 gousses d'ail pressé ou émincé
- 1 c. à thé (5mL) de sel
- ½ c. à thé (2mL) de poivre
- ½ lb (250g) de nouilles à lasagne, cuites selon les temps de cuisson indiqués
- 1 tasse (250mL) de fromage cottage en crème ou de fromage ricotta
- 1 paquet [6 oz (170g)] de fromage mozzarella en tranches
- ⅔ tasse (150mL) de fromage parmesan râpé

1. Défaire le boeuf et la saucisse dans une casserole de verre de 1½ pinte (1,5L). Couvrir et faire cuire à (intensité 10) pendant 7 à 9 minutes, ou jusqu'à ce que la viande soit légèrement brune; remuer 3 fois. Égoutter le gras. Incorporer la sauce tomate, les champignons, l'origan, l'ail, le sel et le poivre.
2. Dans une casserole en verre de 2 pintes (2L), disposer le ⅓ des nouilles, et recouvrir du ⅓ de la sauce et de la ½ du fromage cottage et du fromage mozzarella. Ajouter une deuxième couche composée d'un autre ⅓ des nouilles, d'un ⅓ de la sauce et du reste du fromage cottage et du fromage mozzarella. Mettre l'autre ⅓ de nouilles et le dernier ⅓ de sauce. Saupoudrer de fromage parmesan. Couvrir et faire cuire à (intensité 8) pendant 29 à 35 minutes, ou jusqu'à ce que la lasagne soit chaude au centre. Avant de servir, laisser REPOSER 5 minutes, couvert.

Donne 3 à 4 portions.

OEUFS ET FROMAGE

Anneau d'épinards au fromage

OEUFS ET FROMAGE

Oeufs brouillés

1. Utiliser un bol ou une coupe à crème de 10 oz (300g) pour 1 ou 2 oeufs; utiliser un bol de 1 pinte (1L) pour 4 à 6 oeufs. Battre les oeufs et le lait ensemble avec une fourchette pour obtenir un mélange uniforme. Couper le beurre en petits morceaux et les incorporer aux oeufs.
2. Faire cuire, à découvert, à (intensité 8) selon les temps de cuisson indiqués dans le tableau ci-dessous. Séparer et remuer les oeufs avec une fourchette toutes les 30 secondes. Faire cuire jusqu'à cuisson quasi complète, puis laisser REPOSER, à demi-couvert, pendant 1 à 3 minutes afin de terminer la cuisson. Remuer et assaisonner au goût avec du sel et du poivre.

Oeufs	Lait	Beurre	Temps de cuisson
1	1 c. à table (15mL)	1 c. à thé (5mL)	1 à 1½ minute
2	2 c. à table (25mL)	2 c. à thé (10mL)	2 à 3 minutes
4	¼ tasse (50mL)	4 c. à thé (20mL)	3½ à 4 minutes
6	⅓ tasse (75mL)	2 c à table (25mL)	5 à 6½ minutes

TEMPS D'ATTENTE: 1 à 3 minutes.

Anneau d'épinards au fromage

- 2 paquets [10 oz (300g) chacun] d'épinards hachés dégelés et bien égouttés
- 1 tasse (250mL) de fromage cottage
- ½ tasse (125mL) de fromage suisse râpé
- ¼ tasse (50mL) de fromage parmesan râpé
- 2 oeufs
- ½ c. à thé (2mL) de thym moulu
- ½ c. à thé (2mL) de sel
- ¼ c. à thé (1mL) de poivre
- ¼ tasse (50mL) de miettes de craquelins beurrés (facultatif)

1. Mélanger tous les ingrédients, sauf les miettes, dans un bol de 2 pintes (2L). Bien mélanger. Verser le mélange dans un moule en anneau de 6 à 8 tasses (1,5L à 2L) bien graissé pouvant aller au four à micro-ondes. Recouvrir de papier ciré.
2. Faire cuire à (intensité 7) pendant 11 à 12 minutes ou jusqu'à ce que l'anneau soit pris. Laisser REPOSER 5 minutes couvert. Retourner sur un plateau de service. Si désiré, saupoudrer de miettes et remplir avec des oeufs brouillés.

Donne 6 à 8 portions.

Oeufs ranchero

- 2 c. à table (25mL) de beurre ou de margarine
- ¼ tasse (50mL) de poivron vert émincé
- ¼ tasse (50mL) d'oignon émincé
- 1 gousse d'ail pressée ou émincée
- 1 boîte [28 oz (850g)] de tomates
- 1 boîte [3 oz (80g)] fèves chili, égouttées et écrasées
- ¾ c. à thé (3mL) de sel
- ½ c. à thé (2mL) de poivre
- 6 oeufs
- 1 tasse (250mL) de fromage cheddar ou Monterey Jack

1. Mélanger le beurre, le poivron, l'oignon et l'ail dans un plat rond de 10 po (25cm). Faire cuire, à découvert, à (intensité 10) pendant 2 à 4 minutes, ou jusqu'à ce que les légumes soient à point; remuer deux fois. Incorporer les tomates, en les écrasant avec une fourchette pour les défaire, les fèves chili, le sel et le poivre. Couvrir et faire cuire à (intensité 10) pendant 6 minutes; remuer une fois.
2. Casser les oeufs dans le mélange de tomates tout autour du plat. Avec un cure-dent, percer chaque jaune et blanc d'oeuf. Couvrir et faire cuire à (intensité 7) pendant 5 à 6 minutes, ou jusqu'à ce que les oeufs soient cuits à point. Saupoudrer de fromage, couvrir et laisser REPOSER 5 minutes avant de servir.

Donne 3 à 6 portions.

Croque-monsieur

- ¼ tasse (50mL) de beurre ou de margarine
- ¼ tasse (50mL) de farine
- ½ c. à thé (2mL) de moutarde en poudre
- ½ c. à thé (2mL) de sauce Worcestershire
- ⅓ c. à thé (1,5mL) de poivre de Cayenne
- 1 pincée de muscade moulue
- ½ c. à thé (2mL) de sel
- ¼ c. à thé (1mL) de poivre
- 1 tasse (250mL) de lait
- ½ tasse (125mL) de bière ou de cidre
- 2 tasses (500mL) de cheddar râpé
- Rôtie, biscuits ou muffins anglais rôtis

1. Placer le beurre dans une casserole en verre de 1½ pinte (1,5L). Faire cuire à (intensité 10) pendant 1 à 2½ minutes ou jusqu'à ce que le beurre soit fondu. Incorporer la farine et l'assaisonnement, en mélangeant de sorte à obtenir une pâte lisse. Ajouter le lait, en remuant jusqu'à obtention d'une consistance lisse. Faire cuire, à découvert, à (intensité 10) pendant 3½ minutes ou jusqu'à ce que la préparation bouille et s'épaississe, en remuant chaque minute (le mélange sera très épais).
2. Incorporer la bière au mélange au lait. Ajouter le fromage. Faire cuire, à découvert, à (intensité 7) pendant 4½ à 6 minutes ou jusqu'à ce que le fromage ait fondu, en remuant chaque minute. Servir sur une rôtie, des biscuits ou des muffins anglais rôtis.

Donne 3 ou 4 portions.

SANDWICHES

Pizza en baguettes

SANDWICHES

Qui n'aime pas un sandwich? Comme casse-croûte, pour le repas de midi ou pour un léger souper, une seule chose peut le rendre plus appétissant, de le faire chauffer! Sa cuisson ne demande que quelques secondes dans le four à micro-ondes et c'est facile.

Cuisson au four à micro-ondes de sandwiches: conseils et techniques

- Les sandwiches cuisent rapidement car ils sont poreux.
- Faire cuire les sandwiches sur une serviette de papier pour éviter que le pain ne devienne pâteux.
- Ne faire cuire un sandwich que jusqu'à ce qu'il soit tiède et non pas chaud. Une cuisson excessive durcit et sèche le pain.
- Faire cuire les garnitures, telles que "Sloppy Joes", séparément jusqu'à ce qu'elles soient chaudes.

Pizza en baguettes

1 lb (500g) de boeuf haché
¼ tasse (50mL) d'oignon émincé
1 gousse d'ail pressée ou émincée
½ tasse (125mL) de sauce tomate ou de sauce à pizza épaisses
½ c. à thé (2mL) de basilic ou d'origan séché
½ c. à thé (2mL) de sel
¼ c. à thé (1mL) de poivre
2 baguettes italiennes (d'environ 6 po (15cm) de long chacune)
¾ tasse (175mL) de fromage mozzarella râpé

1. Mélanger le boeuf, l'oignon et l'ail dans un plat en verre de 1 pinte (1L). Couvrir et faire cuire à (intensité 10) pendant 7 à 8 minutes, ou jusqu'à ce que le boeuf soit brun; remuer deux fois. Égoutter le gras. Incorporer la sauce tomate et les assaisonnements.
2. Couper les baguettes en deux dans le sens de la longueur et les placer dans un plat rond. Verser le mélange de boeuf et recouvrir de fromage. Faire cuire, à découvert, à (intensité 5) pendant 8 à 9 minutes, ou jusqu'à ce que le fromage soit fondu et les pains, chauds.

Donne 4 portions.

Cheeseburgers

1 lb (500g) de boeuf haché
4 tranches de fromage fondu
4 pains à hamburger

1. Façonner la viande en 4 galettes de 4 po (10cm) et les disposer dans un plat de cuisson. Faire cuire, à découvert, à (intensité 10) pendant 3 à 4 minutes, ou jusqu'à ce que la viande soit cuite à point, en retournant les galettes et en égouttant la graisse une fois.
2. Recouvrir les galettes de fromage. Couvrir et faire cuire à (intensité 7) pendant 1 minute. Laisser REPOSER 2 minutes, couvert, avant de servir dans des pains à hamburger.

Donne 4 portions.

Sandwiches du moyen-orient

- 1 tasse (250mL) de yogourt nature
- ½ tasse (125mL) de poivron vert haché
- 2 c. à table (25mL) d'oignon émincé
- ½ c. à thé (2mL) de menthe séchée
- 1½ lb (750g) de boeuf haché
- 2 gousses d'ail pressées ou émincées
- 1 boîte [8 oz (250g)] de tomates étuvées, hachées
- 1 c. à table (15mL) de flocons de persil séchés
- 4 pains pita individuels
- 1½ tasse (375mL) de laitue déchiquetée

1. Mélanger le yogourt, le poivron, l'oignon et la menthe dans un petit bol. Mettre de côté.
2. Mélanger le boeuf et l'ail dans une casserole en verre de 2 pintes (2L). Couvrir et faire cuire à (intensité 10) pendant 7 à 8 minutes, ou jusqu'à ce que le boeuf soit brun; remuer deux fois. Égoutter le gras. Incorporer les tomates et le persil. Couvrir et faire cuire à (intensité 9) pendant 6 à 7 minutes, ou jusqu'à ce que le tout soit chaud; remuer une fois.
3. Faire une ouverture de 1½ po (4cm) dans chaque pita. Ouvrir délicatement la pochette. La remplir avec le mélange de boeuf et recouvrir de laitue et de la sauce au yogourt.

Donne 4 portions.

Sandwiches reuben

- 4 tranches rôties de pain de seigle foncé ou de pumpernickel
- ½ lb (250g) de boeuf salé, cuit et tranché mince
- ½ tasse (125mL) de vinaigrette veloutée à la russe ou Mille-Îles
- 1 boîte de 8 oz (250g) de choucroute, rincée et bien égouttée
- 4 tranches de fromage suisse, coupées en deux

1. Placer les rôties sur un plateau de cuisson recouvert de papier essuie-tout. Étaler la vinaigrette sur les rôties. Garnir de boeuf salé. Étaler la vinaigrette sur le boeuf salé. Couvrir de choucroute et placer deux morceaux de fromage sur chacun des sandwiches.
2. Faire cuire, à découvert, à (intensité 5) pendant 5 à 6 minutes ou jusqu'à ce que les sandwiches soient bien chauds et que le fromage ait fondu.

Donne 4 portions.

PAINS

Pain aux noix et aux abricots

PAINS

Cuisson du pain: conseils et techniques

- Les pains et les muffins cuits au four à micro-ondes deviennent plus gros que les pains et les muffins cuits selon les méthodes ordinaires. Toutefois, ils ne dorent pas. Pour leur donner une apparence plus attrayante, utiliser une pâte ayant une certaine couleur comme pour le pain d'épice, ou ajouter des garnitures, comme des noix hachées, de la noix de coco grillée, de la cannelle et du sucre, ou des glaçages.
- Ne jamais faire cuire le pain trop longtemps.
- Le pain très poreux devient vite trop cuit, et donc dur.
- Les muffins sont prêts quand un cure-dent enfoncé jusqu'au centre en ressort sans marques. Ils paraîtront peut-être à peine pris, avec quelques points humides au haut, mais ceux-ci disparaîtront après que l'on aura fait reposer les muffins.
- Le four à micro-ondes réchauffe le pain de la veille, qui aura alors le goût de pain frais. Ne pas le réchauffer plus d'une fois, car il commencerait à sécher.

Pain à la citrouille

1 tasse (250mL) de citrouille en boîte
2 oeufs
1 c. à thé (5mL) de vanille
1 tasse (250mL) de noix ou de pacanes hachées
½ tasse (125mL) d'huile
⅓ tasse (75mL) d'eau
½ c. à thé (2mL) de cannelle moulue
½ c. à thé (2mL) de clou de girofle moulu ou de poivre de la Jamaïque
½ c. à thé (2mL) de muscade moulue ou de macis
1½ tasse (375mL) de sucre
1¼ tasse (300mL) de farine
1 c. à thé (5mL) de bicarbonate de soude
½ c. à thé (2mL) de sel

1. Dans un bol à mélanger de 2 pintes (2L), combiner la citrouille, les oeufs, la vanille, les noix, l'huile, l'eau et les épices. Incorporer le sucre. Combiner la farine, le bicarbonate de soude et le sel dans un bol distinct, puis incorporer dans le mélange à la citrouille. Mélanger jusqu'à ce que tous les ingrédients soient humectés. Mettre la pâte dans un moule à pain en verre bien graissé.
2. Faire cuire à (intensité 5) pendant 14 minutes, puis à (intensité 10) pendant 7 minutes. Si nécessaire, faire cuire à (intensité 10) pendant 3½ à 8 minutes de plus pour compléter la cuisson. Laisser le pain REPOSER pendant 10 minutes avant de l'enlever du plat. Le laisser REPOSER encore 5 minutes avant de servir.

Donne 1 pain.

Muffins au maïs

- ½ tasse (125mL) de farine
- ½ tasse (125mL) de farine de maïs jaune
- 2 c. à table (25mL) de sucre
- 2 c. à thé (10mL) de poudre à pâte
- ¼ c. à thé (1mL) de bicarbonate de soude
- ¼ c. à thé (1mL) de sel
- 1 oeuf légèrement battu
- ½ tasse (125mL) de lait ou de babeurre
- 2 c. à table (25mL) d'huile ou de beurre fondu

1. Dans un bol de 1½ pinte (1,5L), mélanger la farine, la farine de maïs, le sucre, la poudre à pâte, le bicarbonate de soude et le sel. Ajouter l'oeuf, le lait et l'huile et remuer jusqu'à ce que tous les ingrédients soient humectés. Verser la pâte dans 8 moules de 6 oz (170g) garnis de coupes en papier.
2. Placer 4 moules sur un plateau de cuisson rond. Faire cuire, à découvert, à (intensité 10) pendant 2 à 3½ minutes. Répéter avec les 4 autres moules. Laisser REPOSER 3 minutes avant de servir.

Donne 8 muffins.

Couronne à l'orange

- 1 c. à table (15mL) de beurre ou de margarine ramollis
- ¼ tasse (50mL) de noix ou de pacanes émincées
- 2 c. à table (25mL) de cassonade foncée
- ¼ tasse (50mL) de sucre
- ½ tasse (125mL) de jus d'orange
- 1 oeuf
- 2 tasses (500mL) de mélange au babeurre
- ½ tasse (125mL) de noix émincées
- ½ tasse (125mL) de marmelade à l'orange

1. Graisser un moule en couronne de 10 tasses (2,5L) pour four à micro-ondes avec le beurre ramolli et recouvrir avec les noix et la cassonade. Mettre de côté.
2. Mélanger le sucre, le jus d'orange et l'oeuf dans un bol de 1½ pinte (1,5L). Incorporer le mélange au babeurre et mélanger. Ajouter les noix et la marmelade et remuer jusqu'à ce que tous les ingrédients soient bien mélangés. Verser la pâte dans le moule préparé. Ne pas couvrir.
3. Faire cuire à (intensité 5) pendant 7 minutes, puis à (intensité 10) pendant 2½ minutes supplémentaires. Au besoin, faire cuire à (intensité 10) 1½ à 6 minutes de plus pour achever la cuisson. Laisser REPOSER 5 minutes avant de renverser sur un plat de service.

Donne 4 à 6 portions.

Pain à l'ail

- ½ tasse (125mL) (1 bâton de beurre)
- 1 à 1½ c. à thé (5mL à 8mL) de poudre d'ail ou 2 à 4 gousses d'ail pressées
- ¼ c. à thé (1mL) de sel
- ¼ c. à thé (1mL) de poivre, de préférence fraîchement moulu
- 1 pain français de 14 po (35cm), fendu aux ⅔ sur toute la longueur, à intervalles de 1 pouce (2,5cm)

1. Mélanger le beurre, l'ail, le sel et le poivre dans une mesure en verre de 2 tasses (500mL). Faire cuire, à découvert, à (intensité 4) pendant 1 à 2 minutes, ou jusqu'à ce que le beurre soit ramolli, mais non fondu. Battre pour bien mélanger.
2. Étaler le beurre dans les fentes pratiquées dans le pain. Envelopper lâchement le pain dans du papier ciré pour obtenir un pain mou, ou le laisser tel quel pour obtenir un pain légèrement croustillant. Faire cuire à (intensité 10) pendant 3½ à 6 minutes, ou jusqu'à ce que le pain soit chaud.

Donne 1 pain.

Pain aux noix et aux abricots

- 1/4 tasse (50mL) de lait
- 1/2 tasse (125mL) d'eau
- 1 tasse (250mL) d'abricots séchés hachés
- Écorce râpée d'une orange
- 3/4 tasse (175mL) de cassonade
- 1 oeuf légèrement battu
- 3 c. à table (50mL) d'huile
- 3/4 tasse (175mL) de noix hachées
- 1 1/2 tasses (375mL) de farine
- 1 c. à thé (5mL) de poudre à pâte
- 1 c. à thé (5mL) de muscade moulue ou de macis
- 1/2 c. à thé (2mL) de sel

1. Mélanger le lait, l'eau, les abricots séchés et l'écorce râpée de l'orange dans un bol en verre de 2 pintes (2L). Faire cuire, à découvert, à (intensité 10) pendant 2 à 3 1/2 minutes, ou jusqu'à ébullition; remuer une fois.
2. Ajouter la cassonade, l'oeuf et l'huile au mélange de fruits et bien battre le tout. Incorporer les autres ingrédients. Verser la pâte dans un moule à pain bien graissé. Ne pas couvrir.
3. Faire cuire à (intensité 5) pendant 12 minutes, puis à (intensité 10) pour 3 minutes. Au besoin, faire cuire à (intensité 10) pendant 3 1/2 à 8 autres minutes pour achever la cuisson. Laisser REPOSER le pain pendant 10 minutes avant de l'enlever de son plat. Laisser REPOSER 5 autres minutes avant de servir.

Donne 1 pain.

Muffins à l'ananas

- 1 boîte [8 oz (250g)] d'ananas broyés, bien égouttés,
- 1/4 tasse (50mL) du sirop mis de côté
- 1/3 tasse (75mL) de cassonade
- 3 c. à table (50mL) de beurre ou de margarine
- 1 oeuf
- 1 tasse (250mL) de farine
- 1/2 tasse (125mL) de pacanes ou de noix hachées
- 1 c. à thé (5mL) de poudre à pâte
- 1/2 c. à thé (2mL) de sel

1. Dans un bol de 1 1/2 pinte (1,5L), mélanger les ananas égouttés, la cassonade et le beurre. Y battre l'oeuf et le sirop mis de côté. Ajouter la farine, les noix, la poudre à pâte et le sel, en remuant seulement jusqu'à ce que tous les ingrédients soient bien humectés. Verser la pâte dans 8 moules à gâteaux de 6 oz (170g) garnis de coupes en papier.
2. Disposer 4 moules sur un plateau de cuisson rond. Faire cuire, à découvert, à (intensité 10) pendant 3 1/2 à 5 minutes. Répéter avec les 4 autres moules. Laisser REPOSER 5 minutes avant de servir.

Donne 8 muffins.

Pain aux bananes

- 2 tasses (500mL) de mélange à biscuits
- 1/2 tasse (125mL) de cassonade
- 3 c. à table (50mL) de farine
- 1/4 c. à thé (1mL) de muscade moulue ou de macis
- 1/4 c. à thé (1mL) de sel
- 1/4 tasse (50mL) de lait
- 1 oeuf légèrement battu
- 2/3 tasse (150mL) de bananes écrasées
- 2/3 tasse (150mL) de dattes hachées
- 2/3 tasse (150mL) de noix hachées

1. Mettre le mélange à biscuits, la cassonade, la farine, les épices et le sel dans un bol moyen et bien mélanger. Mélanger le lait, l'oeuf et les bananes dans une tasse à mesurer et ajouter le tout au mélange, en remuant seulement jusqu'à ce que tous les ingrédients soient bien humectés. Incorporer les dattes et les noix. Verser la pâte dans un moule à pain en verre bien graissé.
2. Régler le four à (intensité 5) pour 14 minutes, puis à (intensité 10) pour 4 minutes. Au besoin, faire cuire pendant 2 à 6 autres minutes à (intensité 10) pour achever la cuisson. Laisser REPOSER le pain pendant 10 minutes avant de l'enlever de son plat. Laisser REPOSER 5 autres minutes avant de servir.

Donne 1 pain.

Brioches aux noix

- 6 c. à table (100mL) de beurre ou de margarine
- 6 c. à table (100mL) de cassonade
- 6 c. à table (100mL) de pacanes ou de noix hachées
- 1 c. à thé (5mL) de cannelle moulue
- 1 tasse (250mL) de mélange au babeurre
- ⅓ tasse (75mL) d'eau froide
- 2 c. à table (25mL) d'écorce d'orange râpée

1. Placer en cercle 6 moules à gâteaux de 6 oz (170g) sur un plateau de cuisson. Dans chaque moule, mettre 1 c. à table (15mL) de beurre. Faire cuire, à découvert, à (intensité 10) pendant 2½ à 3½ minutes, ou jusqu'à ce que le beurre soit fondu. Faire tourner les moules de façon à recouvrir les parois de beurre. Dans chaque moule, ajouter une c. à table (15mL) de cassonade et de noix hachées. Saupoudrer de cannelle. Remettre au four et cuire, à découvert, à (intensité 10) pendant environ 3½ minutes, ou jusqu'à ébullition.
2. Mélanger les autres ingrédients dans un petit bol, en battant jusqu'à consistance lisse. Verser également la pâte dans les moules. Faire cuire, à découvert, à (intensité 10) pendant 3½ à 4½ minutes, ou jusqu'à ce que les dessus reprennent leur forme lorsqu'on y enfonce légèrement le doigt. Renverser immédiatement les moules sur un plat de service. Laisser REPOSER les brioches, couvertes des moules, pendant 2 minutes avant de les servir.

Donne 6 grosses brioches.

GÂTEAUX ET TARTES

Gâteau à la noix de coco

GÂTEAUX ET TARTES

Faites votre tout prochain gâteau ou votre toute prochaine tarte au four à micro-ondes. Non seulement ils cuiront en moitié moins de temps, mais aussi ils seront délicieux! Les gâteaux sont supérieurs aux gâteaux ordinaires sur le plan de la texture, de la hauteur et de la légèreté. La croûte des tartes a une excellente texture feuilletée.

Cuisson au four à micro-ondes des gâteaux et des tartes: conseils et techniques

- Quand vous préparez les garnitures, réduisez légèrement la quantité de liquide indiquée dans la recette ordinaire.
- La pâtisserie ne dorera pas, mais elle aura une excellente texture feuilletée. Pour lui donner un peu de couleur, ajoutez 1 c. à thé de cacao ou de café instantané à la farine avant de mélanger.
- Vous devez vous servir d'un plat à tarte en verre pour faire cuire les tartes au four à micro-ondes. La pâtisserie est cuite quand le fond de la croûte paraît opaque et sec.
- Les croûtes à base de miettes donnent d'excellents résultats au four à micro-ondes.
- Les gâteaux, eux non plus, ne dorent pas au four à micro-ondes. Mais cela ne pose pas de problème, car ils sont d'ordinaire glacés ou saupoudrés de sucre en poudre.
- Comme les gâteaux cuits au four à micro-ondes lèvent un peu plus que les gâteaux cuits selon les méthodes ordinaires, ne remplissez le plat de cuisson qu'à moitié.
- Un gâteau est cuit quand un cure-dent enfoncé jusqu'au centre en ressort sans marques. À sa sortie du four, il se peut que le gâteau présente des points humides sur le dessus. Ceux-ci disparaîtront quand vous aurez fait REPOSER le gâteau pendant quelques minutes.
- Les gâteaux de Savoie, les gâteaux mousseline et les bouchées à la crème, qui nécessitent une chaleur sèche, cuisent mal au four à micro-ondes.

Gâteau aux fruits

- 1 c. à table (15mL) de beurre
- ¼ tasse (50mL) de biscuits Graham émiettés
- 4 oz (125g) d'abricots séchés hachés [environ 1 tasse (250mL)]
- 1 tasse (250mL) de raisins secs
- 4 oz (125g) d'amandes effilées [environ 1 tasse (250mL)]
- ¾ tasse (175mL) de cerises confites, coupées en deux
- ¾ tasse (175mL) d'ananas confits
- ¾ tasse (175mL) de farine
- ¾ tasse (175mL) de cassonade
- ½ tasse (125mL) de shortening
- 3 oeufs
- 2 c. à table (25mL) de rhum ou de brandy
- 2 c. à table (25mL) d'extrait de vanille
- ¼ c. à thé (1mL) d'extrait d'amande
- ½ c. à thé (2mL) de muscade moulue ou de macis
- ½ c. à thé (2mL) de poudre à pâte
- ½ c. à thé (2mL) de sel

1. Graisser un moule à cannelures de 8 tasses (2L) et recouvrir avec la chapelure de biscuits Graham. Mettre de côté.
2. Mélanger les autres ingrédients dans un bol de 3 pintes (3L). Bien mélanger. Verser la pâte dans le moule préparé d'avance. Faire cuire, à découvert, à (intensité 7) pendant 13 à 14 minutes, ou jusqu'à ce que le gâteau se détache des bords du moule. Laisser REPOSER 15 minutes sur le comptoir avant de renverser le gâteau sur une grille pour le faire refroidir. Envelopper dans une feuille d'aluminium ou de plastique et conserver au réfrigérateur pendant au plus 4 semaines.

Donne 1 gâteau.

Gâteau à la noix de coco

- 1 paquet [18½ oz (570g)] de mélange à gâteau jaune
- 1 paquet [3¾ oz (100g)] de mélange à pouding instantané à la noix de coco
- 4 oeufs
- 1 tasse (250mL) d'eau
- ¼ tasse (50mL) d'huile
- 1 pot [12 oz (375g)] de fraises ou de framboises en conserve
- 2 contenants [4½ oz (140g)] de garniture à dessert, dégelée
- 1½ tasse (375mL) de flocons de noix de coco

1. Combiner le mélange à gâteau, le mélange à pouding, les oeufs l'eau et l'huile dans le grand bol d'un mélangeur électrique et battre à vitesse moyenne pendant 4 minutes. Verser la pâte dans un moule à cannelures de 10 tasses (2,5L) bien graissé. Faire cuire, à découvert, à (intensité 7) pendant 13 à 14 minutes, ou jusqu'à ce que toute la pâte soit cuite au fond du moule et que le gâteau ait commencé à se détacher des bords du moule. Laisser REPOSER, couvert, pendant 15 minutes avant de renverser sur un plat de service. Couvrir et laisser refroidir.
2. Couper le gâteau horizontalement en 3 couches. Étaler la confiture et reconstituer le gâteau. Glacer avec la garniture à dessert et saupoudrer de noix de coco. Réfrigérer, couvert, jusqu'au moment de sevir.

Donne 1 gâteau.

Abaisse de tarte ordinaire

- 1 tasse (250mL) de farine
- 6 c. à table (100mL) de beurre ou de margarine, refroidis et coupés en morceaux de ¼ po (0,6cm)
- ½ c. à thé (2mL) de sel
- 2 à 3 c. à table (25mL à 50mL) d'eau froide

1. Mettre la farine dans un bol profond de 1 pinte (1L). Ajouter les morceaux de beurre et le sel. À l'aide d'un mélangeur à pâtisserie ou de deux couteaux, découper le beurre en petites particules (de la grosseur d'un petit pois) et incorporer à la farine. Ajouter l'eau à raison d'une c. à table (15mL) à la fois en mélangeant avec une fourchette de façon à former une pâte. Mettre la pâte en boule.
2. Mettre la boule de pâte sur une surface légèrement enfarinée. En partant du centre, abaisser la pâte rapidement de façon à former un cercle de 11 po (28cm) de diamètre. Replier la pâte en quatre et la placer dans une assiette à tarte en verre de 9 po (23cm). Déplier la pâte et délicatement lui faire épouser les contours de l'assiette. Replier les bords de pâte sur le contour de l'assiette. Former une double épaisseur de pâte tout autour de l'assiette. Gaufrer la bordure. Piquer la base de l'abaisse et les côtés avec une fourchette.
3. Faire cuire, à découvert, à (intensité 7) pendant 11 à 12 minutes, ou jusqu'à ce que la pâte semble sèche et feuilletée.

Laisser refroidir avant de mettre la garniture.

Donne une abaisse de tarte de 9 po (23cm).

Abaisse de tarte graham

- 6 c. à table (100mL) de beurre ou de margarine
- 1½ tasses (375mL) de biscuits Graham émiettés (ou d'autres biscuits; gaufrettes à la vanille, au chocolat ou au gingembre)

1. Mettre le beurre dans une assiette à tarte en verre de 9 po (23cm). Faire cuire, à découvert, à (intensité 10) pendant 1 à 2 minutes, ou jusqu'à ce que le beurre soit fondu. Incorporer la chapelure de biscuit. Mélanger et étaler sur le fond et les côtés de l'assiette en appuyant bien de façon à former une croûte.
2. Faire cuire, à découvert, à (intensité 7) pendant 3 à 5 minutes, ou jusqu'à ce que la pâte soit prise. Laisser refroidir avant de mettre la garniture.

Donne une abaisse de tarte de 9 po (23cm).

Gâteau diabolo

- ¾ tasse (175mL) de sucre
- ¼ tasse (50mL) de beurre ou de margarine, ramollis
- 1 oeuf
- ⅔ tasse (150mL) d'eau
- 1 tasse (250mL) de farine
- ¼ tasse (50mL) de cacao
- ¼ c. à thé (1mL) d'extrait de vanille
- ¾ c. à thé (3mL) de bicarbonate de soude
- ½ c. à thé (2mL) de sel

1. Dans un bol de 2 pintes (2L), mettre en crème le sucre et le beurre. Ajouter l'oeuf et bien battre. Ajouter l'eau. Incorporer les autres ingrédients, en battant pour bien mélanger. Verser le tout dans un plat rond de 9 po (23cm).
2. Faire cuire à (intensité 7) pendant 11 à 12 minutes, ou jusqu'à ce qu'un cure-dent inséré au centre du gâteau en ressorte propre. Laisser REPOSER 10 minutes avant de sortir le gâteau de son plat.

Donne 1 gâteau.

Gâteau au fromage aux abricots

- 1 boîte de 16 oz (500g) d'abricots en moitiés, égouttés
- 1 paquet de 8 oz (250g) de fromage à la crème, amolli
- ⅓ tasse (75mL) de sucre
- 2 oeufs
- 1 c. à table (15mL) de jus de citron
- ½ c. à thé (2mL) d'extrait de vanille
- 1 croûte cuite de 9 po (23cm), aux craquelins Graham
- Autres moitiés d'abricots, si on le désire

1. Au mélangeur, au robot culinaire ou au moulin à légumes, réduire en purée les moitiés d'abricots égouttées. Combiner avec tous les autres ingrédients, à l'exception de la croûte de la tarte et des autres moitiés d'abricots, et mélanger jusqu'à obtention d'une consistance lisse.
2. Verser le mélange dans la croûte préparée de la tarte. Faire cuire, à découvert, à (intensité 7) pendant 20 à 21 minutes ou jusqu'à ce que le centre ait presque pris. Réfrigérer pendant au moins 3 heures avant de servir. Si on le désire, garnir des autres moitiés d'abricots.

Donne 6 à 8 portions.

Tarte aux pêches

- 2 lb (1kg) de pêches fraîches, pelées et tranchées
- ½ tasse (125mL) de cassonade
- 1 c. à table (15mL) de jus de citron
- 2 c. à table (25mL) de fécule de maïs
- ⅓ c. à thé (1,5mL) de cannelle moulue
- ⅓ c. à thé (1,5mL) muscade
- Une pincée de sel
- 1 abaisse de tarte cuite 9 pouces (23cm)

1. Mélanger tous les ingrédients, sauf l'abaisse de tarte, dans un bol en verre de 2 pintes (2L). Bien mélanger.
2. Verser les pêches dans l'abaisse et recouvrir de papier ciré. Faire cuire à (intensité 10) pendant 12 à 15 minutes, ou jusqu'à ce que les pêches soient tendres. Servir chaud ou à la température ambiante avec de la crème fouettée ou de la crème glacée.

Donne 1 tarte.

Tarte aux cerises

- 3 tasses (750mL) de guimauves miniatures
- ½ tasse (125mL) de lait
- ½ tasse (125mL) de cerises au marasquin, égouttées et hachées
- ¼ tasse (50mL) de liqueur de cerise
- 1 tasse (250mL) de crème fouettée
- 1 abaisse de tarte au chocolat cuite

1. Mélanger les guimauves et le lait dans un bol en verre de 2½ pintes (2,5L). Faire cuire, à découvert, à (intensité 10) pendant 3½ à 5 minutes, ou jusqu'à ce que le mélange soit fondu et fasse des bulles. Remuer jusqu'à consistance lisse. Ajouter les cerises hachées et la liqueur; bien mélanger. Laisser refroidir à la température ambiante, pendant environ 30 minutes.
2. Verser la crème fouettée dans le mélange de guimauve et mettre le tout dans l'abaisse de tarte. Réfrigérer pendant au moins 4 heures. Si désiré, garnir avec le reste de la crème fouettée et avec des moitiés de cerises.

Donne 1 tarte.

POUDINGS ET CRÈMES, DESSERTS AUX FRUITS

Soufflé au chocolat

CRÈMES-DESSERTS, CRÈMES ANGLAISES, ET DESSERTS AUX FRUITS

Les crème anglaises, les crèmes-desserts et des desserts aux fruits raffinés peuvent être confectionnés en un tournemain au four à micro-ondes. Pour la préparation de ces desserts sur une cuisinière électrique, vous devez les remuer constamment pour empêcher la formation de grumeaux ou que la crème ne brûle. La cuisson au four à micro-ondes donne des dessert crémeux, onctueux et ne requiert qu'un minimum d'attention. Quant aux desserts aux fruits, ils conservent leur forme, leur texture et leur goût.

Cuisson des crèmes-desserts, crèmes anglaises et desserts aux fruits au four à micro-ondes: conseils et techniques

- Mélangez les crèmes-desserts ou les crèmes anglaises dans le plat qui servira à la cuisson; une mesure de 4 tasses (1L) fait parfaitement l'affaire.
- Ne faites pas trop cuire les crèmes-desserts.
- Les crèmes anglaises trop cuites ont tendance à tourner.
- Après avoir fait cuire la crème-dessert au micro-ondes, recouvrez-la de papier ciré ou d'une pellicule plastique pour empêcher qu'une «peau» ne se forme lors du refroidissement.

Pouding à la vanille

½ tasse (125mL) de sucre
2 c. à table (25mL) de fécule de maïs
½ c. à thé (2mL) de sel
2 tasses (500mL) de lait
1 oeuf bien battu
2 c. à table (25mL) de beurre ou de margarine
2 c. à thé (10mL) d'extrait de vanille

1. Dans un bol en verre de 1½ pinte (1,5L), mélanger le sucre, la fécule de maïs et le sel. Ajouter graduellement le lait tout en remuant jusqu'à consistance lisse. Faire cuire, à découvert, à (intensité 7) pendant 6 à 8 minutes, ou jusqu'à ébullition et épaississement; remuer 3 fois.
2. Dans un autre bol, battre l'oeuf avec environ les ⅔ du mélange de pouding chaud. Incorporer repidement le mélange d'oeuf chaud avec le reste du pouding. Faire cuire, à découvert, à (intensité 7) pendant 2 à 3 minutes, ou jusqu'à ce que le mélange soit assez épais pour napper une cuiller; remuer chaque minute. Ajouter le beurre et l'extrait de vanille, en mélangeant bien jusqu'à ce que le beurre fonde. Réfrigérer jusqu'au moment de servir.

Donne 4 portions.

Crème aux oeufs

- 2 tasses (500mL) de lait
- 4 oeufs
- ¼ tasse (50mL) de sucre
- Écorce râpée de ½ citron (facultatif)
- 1 c. à thé (5mL) d'extrait de vanille
- Une pincée de sel
- Muscade moulue

1. Mettre le lait dans une mesure en verre de 4 tasses (1L) et faire cuire à (intensité 7) pendant 4½ à 7 minutes. Pendant ce temps, dans un bol de 1½ pinte (1,5L), battre les oeufs légèrement. Ajouter les autres ingrédients, sauf la muscade. Incorporer repidement au lait.
2. Verser la crème dans 6 coupes de 6 oz (170g) bien graissées. Disposer les coupes en cercle. Faire cuire, à découvert, à (intensité 5) pendant 10½ à 13 minutes, ou jusqu'à ce que le tout soit cuit. Sortir les coupes et saupoudrer de muscade au goût. Laisser REPOSER 10 minutes à la température ambiante puis réfrigérer jusqu'au moment de servir.

Donne 6 portions.

Soufflé au chocolat

- ½ tasse (125mL) de sucre
- 1 enveloppe de gélatine nature
- 3 oeufs séparés
- 1 tasse (250mL) de lait
- 3 carrés de 1 oz (30g) de chocolat à cuire non sucré, fondus
- ¼ tasse (50mL) de sucre
- 1 tasse (250mL) de crème à fouetter

1. Dans un bol en verre de 2 pintes (2L), mélanger la ½ tasse (125mL) de sucre et la gélatine. Y battre les jaunes d'oeufs et le lait. Faire cuire, à découvert, à (intensité 7) pendant 6 à 7 minutes, ou jusqu'à ce que le mélange épaississe et commence à fumer. Remuer chaque minute. Y battre le chocolat avec un fouet métallique. Réfrigérer jusqu'à ce que le mélange nappe une cuiller; remuer à l'occasion.
2. Dans un bol en verre ou de métal de 2 pintes (2L), battre les blancs d'oeufs jusqu'à formation de pointes. Ajouter le ¼ tasse (50mL) de sucre et continuer de battre jusqu'à ce que les blancs soient fermes et luisants. Ajouter d'abord les blancs d'oeufs, puis la crème fouettée dans le mélange de chocolat refroidi. Verser dans une petite coupe à soufflé munie d'un collet de papier de 2 po. Réfrigérer pendant au moins 4 heures, ou jusqu'à consistance ferme. Lorsque le tout est prêt à servir, enlever le collet de papier et garnir le soufflé, si l'on désire, avec le reste de la crème fouettée et des copeaux de chocolat.

Donne 8 portions.

Compote de fruits

- 1 tasse (250mL) de pruneaux dénoyautés
- 1 boîte [8 oz (250g)] d'abricots en moitiés avec le sirop
- 1 boîte [8 oz (250g)] de poires tranchées avec le sirop
- 1 tasse (250mL) de pommes pelées tranchées
- 1 c. à table (15mL) de jus de citron
- 1 c. à table (15mL) de rhum brun ou de brandy (facultatif)
- ¼ c. à thé (1mL) de cannelle moulue
- ¼ c. à thé (1mL) de clous de girofle moulus

1. Mélanger tous les ingrédients dans une casserole en verre de 1½ pinte (1,5L). Couvrir.
2. Faire cuire à (intensité 10) pendant 8 à 10 minutes, ou jusqu'à ce que les pommes soient tendres; remuer 3 fois. Servir chaud ou froid.

Donne 4 à 6 portions.

Écorces aux amandes

BISCUITS ET TABLETTES, FRIANDISES

Les friandises faites à la maison sont toujours très appréciées. Maintenant, vous pouvez en faire plus souvent sans passer toute la journée. Même les friandises d'autrefois, telles que le fondant et les croquants aux arachides, sont faciles à réussir.

Cuisson des tablettes, des biscuits et des friandises au four à micro-ondes: conseils et techniques

- Lors de la cuisson de friandises au four à micro-ondes, utilisez un récipient qui peut résister aux températures élevées et dont le volume est de 2 à 3 fois celui des ingrédients.
- N'utilisez un thermomètre à friandises classique que lorsque celles-ci sont retirées du four. Il existe des thermomètres à friandises pour cuisson au four à micro-ondes qui peuvent être utilisés dans le four pendant la cuisson.

Écorces aux amandes

1 lb (500g) de chocolat blanc
1 tasse (250mL) de raisins secs
1 tasse (250mL) d'amandes entières

1. Briser le chocolat en morceaux et le mettre dans un bol en verre de 2 pintes (2L). Faire cuire, à découvert, à (intensité 7) pendant 7½ à 9 minutes, ou jusqu'à ce que le chocolat soit fondu; remuer 2 fois. Incorporer les raisins et les amandes.
2. Faire immédiatement une mince couche avec le mélange en le versant sur du papier ciré. Laisser refroidir complètement. Briser en morceaux.

Donne environ 1½ lb (750g) de friandises.

Riz soufflé au caramel

½ tasse (125mL) de morceaux de caramel
2 c. à table (25mL) de beurre ou de margarine
2½ tasses (250g) de guimauves miniatures
2½ tasses (625mL) de céréales de riz

1. Mettre les morceaux de caramel et le beurre dans une casserole en verre de 2 pintes (2L). Faire cuire, à découvert, à (intensité 7) pendant 2 à 3 minutes, ou jusqu'à ce que le tout soit fondu. Incorporer les guimauves et faire cuire, à découvert, à (intensité 7) pendant 3½ à 5 minutes, ou jusqu'à ce que les guimauves aient ramolli; remuer 2 fois. Remuer jusqu'à consistance onctueuse.
2. Incorporer les céréales de riz au mélange. Presser le mélange dans la casserole. Laisser REPOSER jusqu'à ce que le mélange soit froid et pris. Découper en carrés.

Donne environ 24 carrés.

Carrés au chocolat et à la marmelade de pommes

- ½ tasse (125mL) de beurre ou de margarine
- 2 carrés de 1 oz (30g) de chocolat non sucré
- 1 tasse (250mL) de cassonade
- ½ tasse (125mL) de marmelade de pommes
- 2 oeufs
- 2 c. à thé (10mL) d'extrait de vanille
- 1 tasse (250mL) de farine
- ½ c. à thé (2mL) de poudre à pâte
- ¼ c. à thé (1mL) de bicarbonate de soude
- 1 tasse (250mL) de noix hachées

1. Mettre le beurre et le chocolat dans un bol en verre de 3 pintes (3L). Faire cuire, à découvert, à (intensité 10) pendant 2 à 3½ minutes, ou jusqu'à ce que le tout soit fondu. Incorporer la cassonade, la marmelade de pommes, les oeufs et la vanille. Y mélanger la farine, ¼ de tasse (50mL) à la fois. Ajouter la poudre à pâte et le bicarbonate. Incorporer les noix. Verser la pâte dans un moule rond de 8 po (20cm) bien graissé.
2. Faire cuire, à découvert, à (intensité 5) pendant 12 à 14 minutes. Couvrir et laisser REPOSER 5 minutes, puis laisser refroidir à découvert. Garder dans un contenant hermétique.

Donne 6 carrés.

Pommes au caramel

- 1 paquet [14 oz (440g)] de caramels
- 1 c. à table (15mL) d'eau
- 2 c. à thé (10mL) de beurre ou de margarine, ramollis
- ½ tasse (125mL) de noix hachées
- 6 petites pommes montées sur des bâtonnets de bois

1. Défaire les caramels de leur emballage et les mélanger à l'eau dans un bol en verre de 1½ pinte (1,5L). Faire cuire, à découvert, à (intensité 7) pendant 4½ à 6 minutes, ou jusqu'à ce que le tout soit fondu et lisse; remuer chaque minute.
2. Étendre le beurre ramolli sur une feuille de papier ciré de 18 po (45cm) de long. Saupoudrer le papier de noix. Tremper les pommes dans le caramel fondu en les retournant pour bien les enduire; mettre les pommes sur le papier ciré et les tourner pour les recouvrir de noix. Laisser durcir pendant 10 minutes.

Donne 6 pommes au caramel.

BOISSONS

Chocolat chaud épicé

BOISSONS

Il est bien pratique de mélanger et de réchauffer des boissons dans le même verre ou la même tasse. Vous pouvez faire du café instantané, du thé, réchauffer du cidre et des bouillons en quelques minutes. Même les véritables amateurs de café aimeront le four à micro-ondes. Réfrigérez ce qui reste et faites-le réchauffer plus tard sans rien perdre de la bonne saveur.

Réchauffage au four à micro-ondes des boissons: conseils et techniques

- Lorsque vous réchauffez plus de 1 tasse (250mL), disposez-les en cercle en les espaçant pour obtenir une chaleur plus uniforme.
- Vous pouvez faire réchauffer vos boissons dans des gobelets en mousse de styrène, en plastique ou en papier, et même en porcelaine tant qu'il n'y a pas de partie métallique.
- Le temps de chauffe dépend de la température initiale du liquide.

Chocolat chaud épicé

1 tasse (250mL) de lait
½ tasse (125mL) de sucre
3 carrés de 1 oz (30g) de chocolat à cuire non sucré
1 c. à thé (5mL) de cannelle moulue
¼ c. à thé (1mL) de muscade moulue ou 1 pincée de clous de girofle moulus ou de poivre de la Jamaïque
4 tasses (1L) de lait

1. Mettre tous les ingrédients, sauf les 4 dernières tasses (1L) de lait, dans un bol en verre de 3 pintes (3L). Faire cuire, à découvert, à (intensité 10) pendant 6 à 8 minutes, ou jusqu'à ce que le chocolat soit fondu; remuer 2 fois. Remuer jusqu'à consistance lisse.
2. Incorporer graduellement le reste du lait en remuant. Faire chauffer, à découvert, à (intensité 10) pendant 9 à 14 minutes, ou jusqu'à ce que le tout soit très chaud; remuer 2 fois. Ne pas laisser bouillir et verser dans des tasses; garnir, si désiré, de crème fouettée, de cannelle et de muscade, ou de peau d'orange râpée.

Donne 4 à 6 portions.

Café irlandais

4 tasses (1L) d'eau
2½ à 3 c. à table (35mL à 50mL) de café instantané
3 c. à table (50mL) de sucre
½ tasse (125mL) de whisky irlandais
½ tasse (125mL) de crème fouettée

1. Mélanger l'eau, le café et le sucre dans une tasse à mesurer en verre pour four à micro-ondes de 6 tasses (1,5L). Faire chauffer, à découvert, à (intensité 10) pendant 9 à 12 minutes, ou jusqu'à ce que ce soit très chaud; remuer une fois.
2. Verser le café dans des tasses. Ajouter le whisky et recouvrir de crème fouettée.

Donne 6 portions.

Liqueur à la fraise

1½ chopine (1,5L) de fraises équeutées
2 tasses (500mL) de sucre
2 tasses (500mL) de vodka

1. Mettre les fraises dans un bol en verre de 2½ pintes (2,5L) et les écraser légèrement avec une cuiller. Incorporer le sucre et la vodka. Régler la cuisson à (intensité 5) pendant 12 minutes, puis à (intensité 1) pendant 27 autres minutes. Remuer toutes les 10 minutes.
2. Couvrir et réfrigérer pendant 3 à 4 jours. Filtrer dans des verres.

Donne environ 2 tasses (500mL).

Café à l'orange

4 tasses (1L) d'eau
2½ à 3 c. à table (35mL à 50mL) de café instantané
¾ tasse (175mL) de liqueur d'orange
½ tasse (125mL) de crème fouettée
2 c. à table (25mL) de sucre glace
Peau râpée d'une orange

1. Mélanger l'eau et le café dans une tasse à mesurer four à micro-ondes de 6 tasses (1,5L). Faire chauffer, à découvert, à (intensité 10) pendant 9 à 12 minutes, ou jusqu'à ce que le tout soit très chaud; remuer une fois.
2. Incorporer la liqueur d'orange au café et verser dans des chopes. Recouvrir chaque chope de crème fouettée à laquelle a été ajouté le sucre glace. Décorer la crème fouettée avec la peau d'orange râpée.

Donne 6 portions.

APPENDICE

TABLEAU DE CHAUFFAGE POUR ALIMENTS SURGELÉS

Aliments	Quantité	Intensité	Temps de chauffage (en minutes)	Instructions spéciales
Entrées (en bouchées)	2 portions	9	3 à 5	Cuire 12 à la fois sur une assiette de papier recouverte d'essuie-tout ou sur un gril pour four à micro-ondes.
Petit déjeuner TV	4 à 5 oz. (125-150g)	9	2 à 3	Si le contenant a ¾ po (2cm) de profondeur, enlever le couvercle d'aluminium et remettre le plat d'aluminium dans sa boîte de carton. Pour les contenants de plus de ¾ po (2cm) de profondeur, transférer les aliments dans un plat en verre de même grandeur; chauffer, couvert. s'il n'y a aucune croûte sur le dessus; remuer à l'occasion si possible. Laisser REPOSER pendant 5 minutes.
Plat principal	8 à 9 oz (250-275g)	9	7 à 9	
	21 oz (650g)	9	17½ à 20	
Repas TV ordinaire	11 oz (337g)	9	6 à 8	
Repas TV copieux	17 oz (530g)	9	9 à 12	
Poulet frit	2 morceaux	9	4 à 6	Disposer sur une assiette de papier recouverte d'essuie-tout; recouvrir d'essuie-tout. Laisser REPOSER pendant 5 minutes.
	4 morceaux	9	6 à 7	
	6 morceaux	9	8 à 9	
Filets de poisson frits	2 filets	9	2 à 3½	
	4 filets	9	4 à 5	
Pizza	1	9	2 à 3	Disposer sur un gril pour four à micro-ondes.
	2	9	3½ à 4½	
	4	9	6 à 7	
Repas en sachets	5 à 6 oz (150-170g)	9	4½ à 6	Percer le sachet, placer sur une assiette.
	10 à 11 oz (300-337g)	9	8 à 9	
Bagels	2	3	2 à 3½	Chaque bagel enveloppé séparément dans de l'essuie-tout (pour 1 ou 2), ou disposés sur une assiette de papier; recouvrir d'essuie-tout.
	4	3	3½ à 4½	
Brioches danoises	1	3	1 à 1½	
	2	3	2 à 2½	
	4 [paq. 6 oz (170g)]	3	3 à 4	
	6 [paq. 13 oz (400g)]	3	4 à 5	
Brioches pour dîner	6	3	2 à 3	
Petits pains	1 [jusqu'à 1¼ oz (30-38g)]	3	1	
	2	3	1½ à 2	
	4	3	2½ à 3	
Concentrés de jus surgelés	6 oz (170g)	6	1 à 2	Enlever le couvercle. Ouvrir. Si le contenant est doublé d'aluminium, verser le tout dans un pichet. Laisser REPOSER aussi long-temps après la décongélation.
	12 oz (375g)	6	2 à 3	
Liquide non laitierz	16 oz (500g)	3	11 à 12½	
Crêpe	10 oz (300g)	3	5 à 6	
Fruits mélangés surgelés	10 oz (300g)	3	5 à 6	Percer le sachet ou enlever le couvercle métallique; mettre dans une assiette. Laisser REPOSER 5 minutes
Légumes surgelés	6 oz (170g)	3	3½ à 4½	Percer la boîte, poser sur une assiette. Si l'emballage est d'aluminium. l'enlever. Si les légumes sont dans un sachet, le percer. Laisser REPOSER 5 minutes.
	10 oz (300g)	3	6 à 7	
Gâteau au fromage	17 oz (530g)	3	4 à 5	Sortir de l'emballage d'origine. Mettre sur un plat de service. Laisser REPOSER 5 minutes après la décongélation. Ajouter 1 à 2 minutes supplémentaires pour servir chaud.
Carrés au chocolat	13 oz (400g)	3	2½ à 3½	
Quatre-quarts	10¼ oz (310g)	3	1 à 2½	
Gâteau pour café	11 à 12 oz (337-375g)	3	3½ à 4½	